合成テクノロジーが世界をつくり変える

生命・物質・地球の未来と人類の選択

クリストファー・プレストン
松井信彦 訳

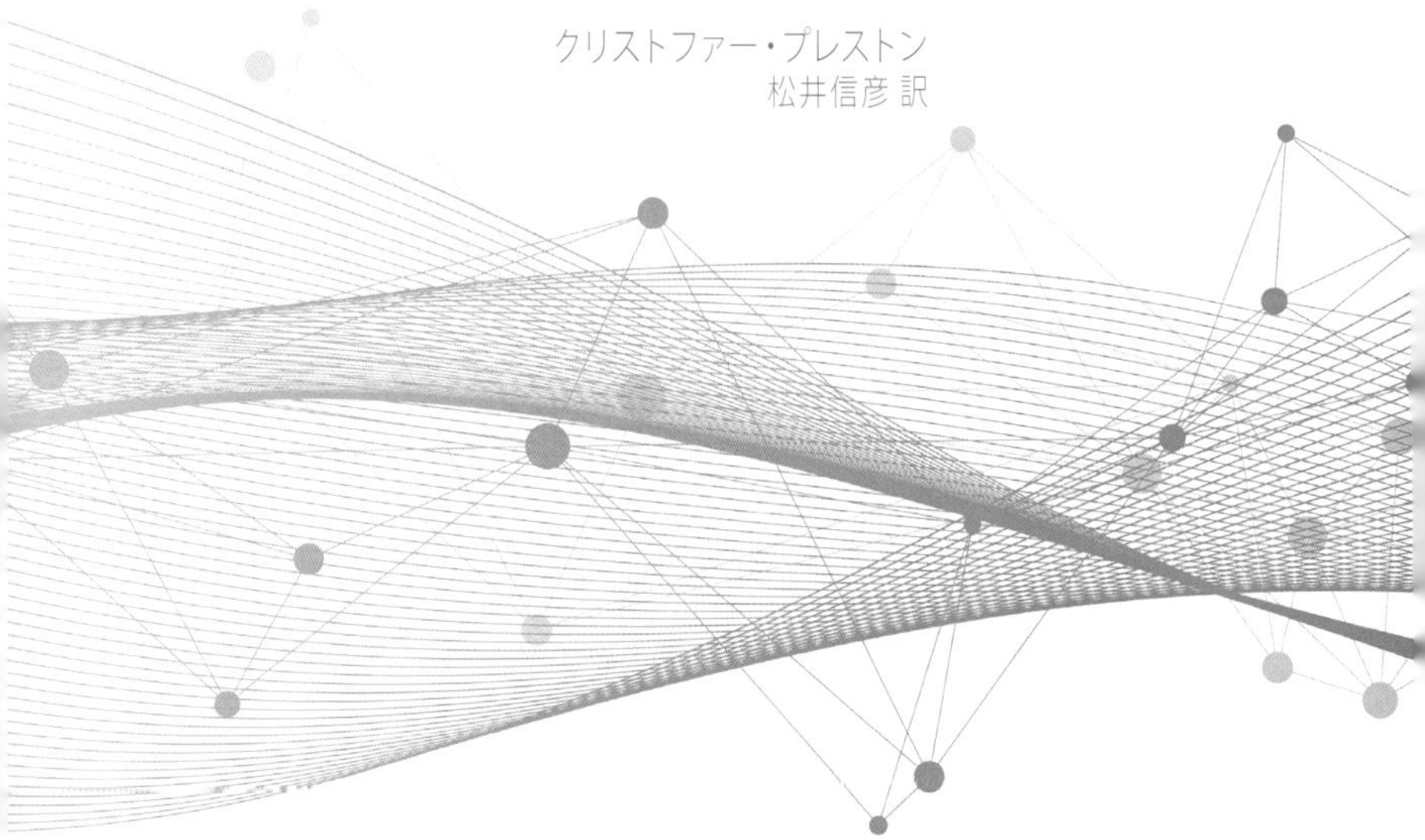

インターシフト

トビーとジェシカとアリスへ……
彼らの人生は「合成の時代」によって形づくられるだろう

合成テクノロジーが世界をつくり変える

生命・物質・地球の未来と人類の選択

【目次】

＊文中、〔　〕は訳者の注記です

はじめに 「合成の時代《シンセティック・エイジ》」が始まる

あなたが何者でも——科学者か画家か、農民か哲学者か、若い母親か皺《しわ》の深い祖父母かを問わず——世界を見る目の根本的なシフトはえてして覚醒の瞬間とともに始まる。一瞬にして何かが起こり、考えてきたことや見てきたことが結晶して、新たな衝撃の認識に至るのだ。そんな瞬間がこの私に訪れたのはそう遠くない昔、アラスカの人里離れた海岸線の沖合で、白髪《しらが》交じりの漁船船長ウォルトと行動を共にしていたときのことだった。

人類はどこへ向かうのか

午後2時、私は42フィート〔13メートル弱〕ボートの後部甲板の縁に立ち、見るからにえげつない魚鉤《うおかぎ》[1]を手に、長さ400メートルの釣糸が海面から出てくるあたりに目を凝らしていた。「用意はいいか?」とウォルトが厳しい口調で確かめてくる。「上がってきたら、手早くだぞ」

私はうなずくと、足をもぞもぞと動かして甲板での踏んばりを確かめながら、市場《いちば》行きになるアラスカ産オヒョウを引き揚げるという自分にとって初めての体験を自分で台無しにしないようにと祈る。

「あんまり身を乗り出しすぎるなよ」とウォルトが念を押す。「あのバカでかいやつらのどれかに引きずり込まれるぞ。あいつら、海面まで上がってくるとべらぼうに暴れるからな」

わかったと合図し、ボートの手すりを握りしめる。アラスカ沖のオヒョウは体重が人の倍ほどもあり、小さなボートでは大騒ぎになりかねない。甲板の上でオヒョウが暴れ出してけがでもしないようにと、引き揚げる前にオヒョウの脳天に銃弾を撃ち込む漁師もいるほどだ。

胸に強い鼓動を感じながら、水のしたたり落ちる釣り糸が海面から出てくるあたりに私が目を落としたまさにそのとき、巨大な楕円形の何かが忽然と姿を現し……

あの魚の影がボート脇に現れてから9時間ののち、私たちはフェアウェザー山近くの人気《ひとけ》のない入り江に入った。甲板下の活魚倉《かつぎょそう》は、はらわたを抜かれ、砕いた氷を詰められた、重さ数百キロほどの獲物でいっぱいだった。入り江をゆっくり進んでいると、浜辺にいたヒグマが、2本の巨大な脚ではさんでいたサケから目を上げたが、すぐまた自分の食事を再開した。錨が下ろされ、うるさいディーゼルエンジンを船長が切ると、海の上の深い静寂を破るのは、船体に打ち寄せるさざ波と、ときおり通り過ぎるカモメの甲高い鳴き声だけになった。

時刻はほぼ真夜中。あの重い魚の処理に夕方までかかり、そのせいでくたくただったが、高緯度地方のうっすら明るい夜空のもと、私は汗臭いフィッシングウェアのまま後部甲板の船縁に長いこと腰をおろし、山々や氷河を、浜辺にいるヒグマの消え入りそうな輪郭を、ぼんやりと眺めていた。昼間の活動で精神的にも肉体的にも疲れ果てていたあのときふいに、ある悲しい事実をはっきり悟った。「人類が地球をすっかり変えてきた」という言葉の意味が、ようやく腑に落ちたのである。

私たちの乗ったボートのほかに、人間の気配はどちらを向いても見当たらなかった。姿形も見事なあの魚の漁場もそうだが、北米有数のへき地の沿岸海域ほど多彩な種の見られる場所も珍しい。同じくらい手つかずの自然の残されている場所が地球上にまだあるなら、似たような光景が広がっていることだろう。

だが、私たちが海から引き揚げ、包丁で隅々まできれいにして、甲板下で氷づけにしたオヒョウのつややかな白身は、手つかずではない。６５００キロ近く離れた中国の石炭火力発電所から排出された水銀が含まれており、その量たるや、米国食品医薬品局の数字に従うならば、安全に消費できるのは小さな切り身がひと月わずか３切れ、妊婦や幼児はもっと控えなければならない。

日々の仕事の一環として学生に環境問題を教えている身として、産業公害を免れている場所がもう地球のどこにもないことなら、知識として前から知ってはいた。だが、脳裏のどこかにあっただけで、はっきり言って消化し切れていなかった。なにしろ今回、生まれて初めて、そのことを身にしみて感じたのだ。人類がこの惑星に及ぼしている影響は、積雪堆積の低下、氷河の融解、種数《しゅ》の減少を示唆する数字の羅列に表れているだけではない。工場や都心からどれほど離れた場所でも、私たちの生産活動による産物をもはや無視できなくなっている。人類の残すそうした痕跡は地球規模だ。そのうえ、影響は小さくない。辺境の地においてさえ、私たちの口にする食べ物の安全性に影響を与えかねないのである。

あの漁の旅から帰って数カ月、私はこうした痕跡がこの先どういう意味を持つのか、思案を巡らせてきた。本書で探ろうとしているのは、「私たちはここからどこへ向かっているのか？」という問いへの答えである。

自然をつくり変える

つい最近まで、人類史における主な出来事は、事実上すべて完新世と呼ばれる地質年代中に起こってきた。完新世（ホロセン：Holocene）の語源はギリシャ語の「ホロス（holos）」とカイノス（kainos）」で、文字どおりには「まったくの最近」という意味である。地球では、地質学的には一瞬に過ぎない1万2000年ほど、「まったくの最近」時代が続いてきた。

ここ10年、気候科学者、生態学者、地理学者の多彩な顔ぶれが、人類による地球への影響がきわめて大きくなったことを理由に、私たちは完新世を抜ける間際にいると唱えている。罰が当たりそうなこの新たな現実は、今のところ「人新世の到来」などと表現されている。厳密に言うと、「人類の時代[2]」を意味する「人新世（アントロポセン：Anthropocene）」は地質学用語なのだが、本当に厳密なことを言うとまだ何を指しているわけでもない。完新世に取って代わることになる地質年代の新名称として検討されている最中なのだ。それはともかく、次の年代の名称については、今ではその痕跡がどこの土壌からも、どこの海水一滴からも検出できる種にちなんでつけるべきだと主張する者が増えている。

「人新世」は悪くなさそうだが、地球史におけるこの移り変わりの時を捉えんとする用語はこれだけではない。始まりつつある次の年代の名称についてはほかにも提案があり、そのどれにも、人類の支配する惑星とはつまりどういうものなのかに関するさまざまな解釈が反映されている。たとえば、地球の経ている移り変わりに経済活動の果たしている役割を盛り込もうと、「資本新世（キャピタロセン：Capitalocene）」や「経済新世（エコノセン：Econocene）」という用語が提唱されている。また、「同質新世（ホモゲノセン：Homogenocene）」とすれば人類や生物に見られる多様性の消失をうまく言い表せると考えている向きがいるし、一部のフェミニストは「男新世（マントロポセン：Manthropocene）」という名こそ地球に破壊をもたらしたのは誰かという問いにより的確に答えていると主張する。同じ発想で「欧新世（ユーロセン：Eurocene）」が唱えられているほか、もっと悲観的な向きはシンプルに「忌新世（オブセン：Obscene）」などと呼んでいる。

だが、地質史におけるこの新年代の名称としてどれを選ぶかより、その来《きた》る年代をどう形づくっていくことを選ぶかのほうが重要だ。新たな年代の登場は、私たちが労働や産業を通じて思いがけなく変えてきた惑星に新名称を与える機会というだけではない。これからどのような世界をつくり上げていくことにするかを慎重に考える機会でもある。その点、私たちはまたとない時期を生きている。名称が議論されている今まさに、新たな時代が夜明けを迎えようとしているのだから。原子のレベルから大気圏のスケールまで、さまざまなテクノロジーが登場しつつあり、それらが総体として自然界のつくり変えを請け合っているのだ。

生物圏《バイオスフィア》が技術圏《テクノスフィア》に覆われる

1967年の映画『卒業』で、人生に迷った様子の（ダスティン・ホフマン演じる）主人公ベンジャミン・ブラドックが、一家のやんごとなき友人から脇に呼び寄せられ、将来性のありそうな業界をひと言で告げられる。「プラスチック」だ。その友人の見立てによれば、ベンが将来身の回りで目にするであろう品物の大半が、安上がりで自由自在の新たな化学処理を用いて工場で生産されるようになる。何が自分のため、キャリアのためになるかをわきまえているなら、ベンの飛び込むべき業界はそこだというのだった。

舞台が現代だったなら、聞かされたのはもっと驚きの人工的な未来がいかに壮大なスケールで有望かという話だっただろう。人類は今や身の回りに新素材をはべらせているだけではない。惑星規模の主な営みの多くをつくり変える、そんな力を手中に収めつつあるのだ。ＤＮＡを合成してつなぎ合わせて新たな配列をつくり、人類にとって有用な生物を独自につくる方法を学んでいるし、今までにない原子構造や分子構造を構築して、まったく新しい材料特性を生み出してもいる。生態系をなす種を再構成したり移転させたりする一方で、絶滅した動物を蘇らせる実験もしているし、太陽光を反射してこの惑星を涼しく保つテクノロジーを展開する方法を検討してもいる。人類はそうした技術の形で、地球史を通じて自然による影響が非常に大きかった営みのいくつかを、自分たちの設計した人工的な営みに置き換える方法を学びつつあるのだ。

地球規模の大きな変化がすでに多数起こっていることは誰も否定しないだろう。だがこれまでのところ、私たちが引き起こしてきた大きな変化の大半は意図的なものではなかった。アラスカの入り江を水銀で汚染しよう、北極海の氷の下を泳ぐクジラの肉に工業化学物質を仕込もう、などと誰かがたくらんだわけではないし、化石燃料の燃焼が原因とされている気温の上昇や、生息地が広い範囲で破壊されたことによる大量絶滅も、作為の結果ではない。今まで起こってきたあらゆる変化のうち地球規模のものについて言えば、これまでは悪意の存在とは縁遠い話だった。

だが、これからは違ってくる。自分たちのせいによる地球規模のダメージを十分認識したからには、これからの行動についてもっと自覚的に判断しなければならない。道路脇に見かけるけがで苦しむ動物と同じように、この壊れた惑星は突如として私たちが責任を負うべき対象となった。顔を背けて気づいていないふりをすることはもうできないのだ。もはや良心が許さないだろう。

さらに悪いことに、責任は今やきわめて重大である。なにしろ新たなテクノロジーが、この倫理上の責務を私たちが負わなければならないというまさにそのタイミングで、かつて起こった何よりも深く環境を変えられるようにしつつある。DNAを構成する、太陽光が地表まで降り注ぐ、生態系をつくり上げる、といった地球の最たる基本機能がますます人類の設計によって規定されるようになりうるのだ。かつて自然の作用による無計画な成り行きだった物事が、私たちによる意識的な決定の産物の色合いをいっそう濃くしている。ノーベル化学賞受賞者のパウル・クルッツェンは、人類が生きていくことになる未来を取り上げた議論で、この先待ち受けている状況を率直に表現している。彼によれば、これからは「自然とは何か、自然は将来どういうものになるのかを、私たちが決めるのだ[3]」。

自然の作用を人工的な処理に置き換えることは、「変成新世（プラストセン：Plastocene）」とでも呼べそうな年代の最たる特徴である。この用語はプラスチックだらけの世界を示唆するものではない。それどころか、人類はこれから数十年のうちに、理由を見つけてこの合成の産物から手を引くかもしれない。Plastocene（プラストセン）は、plastic（プラスチック）という単語の形容詞としての意味を反映して、いっそう細工が効きやすく型にはめやすくなりつつある惑星を表している。その心は、新たなテクノロジーを開発して導入する資源を持つ者にとって、地球のつくり変えられやすさが前例のないレベルに達しつつあることだ。

地球の最も基本的な物理学的活動や生物学的活動をいくつか意図的に微調整することによって、人類は「発見される世界」から「つくられる世界」への移行の間際に立つ。変成新世においては、分子生物学者や工学研究者の手で世界が隅から隅まで徹底的につくり変えられ、そのことが地球で初めてとなる「合成の時代」[4]の始まりを告げる。

合成の時代になったなら、地球のつくり変えは上っ面を変える程度には留まらなくなるだろう。その触手は地球の代謝の奥深くまで伸びる。この新たな時代を押し進める合成テクノロジーは、地球の見かけのみらず仕組みさえも変える。自然とその営みにおいて、私たちの手による設計の占める割合が増していくだろう。

こうした変化の性格を理解することが重要となる。重大な選択が迫られるからだ。この先の道筋は具体的にはまだ定まっておらず、私たちは地球のつくり変えにどこまで深入りするかを決める必要がある。自然の営みをある程度管理することは避けられないにせよ、みずからの設計をどこまで果敢に進めるかによって変成新世のありようが違ってくる。

たとえば、あとずさりして自分たちの足あとをこの惑星から消す努力をするという方針は、来《きた》る時代に求められる地球との新たな関係としては最終的に却下されるだろう。むしろ、自然とその営みへの人為的介入を急ぎ整えていくことになるかもしれない。このいわば「アクセル全開」の変成新世では、自然に対して深い考えもなく行き当たりばったりに影響を及ぼすのではなく、確信を持って、意図的に、場合によっては容赦なく自然を形づくっていき、その際には何につけても専門家の持つ最高の技術や知識を活かす。アクセル全開の場合に聖域はない。

そうした高度な介入を嫌い、この新時代のあけぼのを私たちによる余計な手出しを帳消しにする機会だと捉えるアプローチもある。自然に対する管理をある部分で強化するにしても、別の部分で緩めるという手もある。たとえば、DNAの特定部分を不可侵の扱いにすれば、進化から引き継いだうちのその部分は保護できるだろうし、特定の地域をすっかり立入禁止にすれば、地球の野性味や独立性にとって重要な象徴をいくらか保存できる。惑星規模のテクノロジーについても、ある決まったものだけ人道的な理由から開発を促すと同時に、人工的になるばかりの世界のほかの側面を押し戻すことが可能だ。

合成の時代のありようについて、多くの疑問にまだ答えが得られていないのに、私たちは重大な変わり目を迎えている。地球がその歴史の新年代に入るに当たり、私たちは束の間の思索の機会にいる。人類がみずからの影響力の大きさをようやく自覚した今、私は本書でこれから、人類の望む未来のありようについての議論をもうしばらく続ける必要性を訴えていく。「来《きた》る年代には私たちの種名の焼き印がすでに至る所に押されている」ではなく、「短いながらも大切な熟慮の余地が与えられている」と考えるのだ。顔の片方を過去に、もう片方を未来に向けている古代ローマの遷移の神ヤヌスを連想させる今こそ、過去の偶発的な影響について調べ、未来の意図的な影響について慎重に検討する好機なのだ。

近ごろ欧米の政治に見られるポピュリズムの波は、自分たちの未来に対するコントロールが失われつつあるのでは、と危ぶむ人が増えてきたことの現れと解釈されている。彼らの目には、自分たちの暮らしがどんどん他人の手に委ねられていると映っているのだ。そうした変わり目によく考えもせず行動すれば、合成の時代の輪郭は自分たちの立場からかけ離れた専門家や経済的な利害関係者によって描かれることになりかねない。地球をどこまでつくり変えるのかは技術エリートや市場が判断することになるのだろうが、両者ともにその動機は、純粋な利他精神と、かつてなく過激な介入によって見込まれる新たな利益とが、何らかの割合で入り交じったものになる。そうしたなかで、私たちが商業的な利害にすっかり身を委ねてアクセル全開の変成新世に突入したなら、大きなシフトを受け入れざるを得なくなるだろう。地球とその基本的な営みの多くで私たちからの独立性が失われ、現実問題として、最終的に、環境から自然らしさが奪われるに違いない。生物圏は技術圏にすっぽり覆われることになる。

そうなれば、それ相応のことが起こる。地球に対するそうした行為は、巡り巡って何らかの形で私たちに返ってくるだろう。

あらかじめお断りしておくが、本書は取り上げている研究や発見のなされている重要分野を否定しようというものではない。[5] これから先の各章では、原子のレベルから出発して大気圏全体の操作に至るまで、今その姿を現しつつある強力なテクノロジーの数々を喜んで紹介している。その多くが、都市化と工業化の進む世界の住民に及ぼす影響への対処に欠かせなくなるであろうこと間違いなしだ。こうしたテクノロジーによって、これまでより少ない影響でもっと良い暮らしを送れる人々が増えるだろう。また、これまでなされてきたダメージの修復に必要となるテクノロジーも出てくるだろう。何らかの形の合成の時代は多分に避けられない。

ただし、変化の一部は避けられないというこの話は由々しき警告付きだ。テクノロジーが請け合う物事の数々には危うい誘惑が潜んでいる。それらは管理・運用について過大な夢物語を語りがちだし、こちらに備えがほとんどできていないのに惑星管理者という役目を押しつけてくるし、人類が身の回りの世界をつくり変えたいと願うときの願い方について、積年の取り決めを反故《ほご》にする。

合成の時代が指し示す私たち自身や地球のつくり変えは、典型的な諸刃の剣の様相を呈している。御利益は間違いなく多いだろうが、代償も大きいだろう。健康と豊かさに喜ばしい新たな展望が開け、環境との新たな関係を楽観的に探れることもあるに違いないが、かつての暮らしぶりから急速にかけ離れていく世界のなかで正気を保つべく、必死に闘わなければならないこともあるはずだ。気がつけば、起伏が多く先の見えない大地を急ぎやみくもに走っているということになるだろう。

私たちの暮らす世界は変わっていくだろうが、どういった姿になるのかはまだ定まっていない。世界が公正なら、未来のありようを市民が情報に基づき慎重に選んで決めることになるだろう。これは、本書で伝えたい中心的なメッセージのひとつだ。この意思決定は選ばれし少数の手に委ねていいものではない。懸かっているものが途方もなく大きいのだから。

第１章 新次元の物質をつくる

ベンジャミン・フランクリン、カール・マルクス、ハンナ・アーレントといった歴史上の偉人たちが、ホモ・サピエンス（*Homo sapiens*：「賢いヒト」）よりホモ・ファベル（*Homo faber*：「工作するヒト」ないし「道具をつくるヒト」）のほうが私たちの呼び名にふさわしいかもしれないという考えを示してきた。人類は何かをつくるのがなにしろ好きで、ピラミッドからショッピングモール、果てはバッテリー走行のテスラまで、つくることは私たちの大事な営みのひとつとなっている。人類を人類たらしめている本質的な事柄と言っていいだろう。物体や装置をつくることへの欲求がＤＮＡに書き込まれているかのようだ。何かをつくらずにはいられないという事実によって、私たちという種はこれまで、毛皮や羽根で覆われた体でこの惑星上を闊歩するその他すべての動物に比べて、めざましい成功を収めてきた。

人類のつくったものが今では数限りなく、世界中のガレージセールで、露天市で、店舗で、やたらと派手なウェブサイトで売られているが、自然は一貫して私たちのものづくりプロジェクトに制約を課してきた。物質世界のいくつかの性質が、何をつくれるかに制限をかけてきたのだ。水をいくら用意してもかまどはつくれないし、ボローニャサンドイッチをいくら積み上げてもまともに飛ぶ飛行機はつくれない。人類はものづくりに創意と技能を注ぎ込んできたが、何らかの枠組みや限界を決めるのは必ずや物質の性質だった。どのような材料をどれだけ曲げたり、切ったり、混ぜたり、冷やしたり、鍛えたりしたところで、つくれないものはとにかくつくれない。

あるいは、そう思い込んできた。ナノテクノロジーの出現は、この根源的な真実が覆されかねない気配を漂わせている。

アメリカの物理学者リチャード・ファインマンは、ナノテクノロジーという分野を誕生させた人物として多方面からその名が挙がる。それは1959年にカリフォルニア工科大学（カルテック）で行われた有名な講演でのことだった。彼の弁はこのあと紹介するとして、まずはその画期的な講演を行った人物についていくらか知っておいてほしい。

英語には「ルネサンス的教養人（renaissance man）」という言葉があって、きわめて多才なうえに話題をほぼ問わず博識だったり驚きの種をもたらせたりする人物を指すのだが、ファインマンの形容としては不十分だろう。彼はまず何より世界有数の理論物理学者であり数学者だった。そのうえ、名ボンゴ奏者、ベストセラーの著述家、マヤ文字の翻訳者でもあったし、

「オーフェイ」の名（本人によれば、由来は「完了」を意味するフランス語「au fait」）でときおり絵を描くなどした芸術家、あるいは抜群のユーモアのセンスを随所で見事に活かす話し上手として知られてもいた。

１９６５年のノーベル物理学賞受賞者でもあるファインマンについては、その国家への特筆すべき奉仕も記憶に留められている。若かりし頃、最初は躊躇したものの、ニューメキシコ州ロスアラモスのチームの一員となり、第２次大戦の終結に寄与した原子爆弾の開発に携わった。晩年にはロナルド・レーガン大統領からの要請で、１９８６年に起こったスペースシャトル、チャレンジャー号の悲惨な爆発事故の調査委員会に名を連ねている。７名の飛行士を失った事故に関する、テレビ中継もなされた公聴会において、彼は万力ではさんだゴム製O《オー》リングを氷水に浸して、チャレンジャー号の燃料タンクに使われていたシール材の適切な弾性が、発射場の気温によって損なわれた様子を再現した。こうして実にシンプルに、彼はテレビを観ていたアメリカ市民に爆発の原因を効果的に示してみせたのである。当時の彼は末期の胃がんに苦しんでいたのだが、スペースシャトル計画全体を方向づけていた先入観や偏見を厳しく見据えていた。彼の計算によれば、いずれかのシャトルミッションで大惨事の起こる確率は、NASA（米国航空宇宙局）の担当者が日頃から公に口にしていた10万分の1ではなく、１００分の１に近かった（この数字はシャトルの30年にわたる運用期間において悲惨な形で実証されている）。

その優れた業績の背後にあった資質のひとつとして、彼は組織の考え方とそれによって育まれる過信を絶えず疑ってかかっていた。たとえばロスアラモス時代、開発中の核技術が悪人の手に渡る可能性がひどく心配になった彼は、金庫破りの技を独習した。上司には笑い飛ばされたが、第2次大戦が終わってまもなく、彼は原爆の製造に必要なファイルがすべて収められた金庫を破り、組織としての独善に対するみずからの指摘を上司に証明しおおせた。理論面でも実践面でも、彼は周囲の人々の目と鼻の先に潜む問題を浮き彫りにする手立てを知っていた。

1959年にカルテックの講堂で行われたあの講演で、ファインマンの選んだテーマはOリングや冷戦時代の機密情報に比べてはるかに理論寄りだった。アメリカ屈指の物理学者の面々を前に、彼は物質が原子や分子のスケールで実際にどう見えるかを予想した。当時は誰もが、このスケールには絶対的な物理的制約があって、物質の性質はほぼ不変なのではないかと考えていた。だが、「底には余地がたっぷりある（There's Plenty of Room at the Bottom）」と題したその講演で、ファインマンはどの物質をとっても実は内部の奥深くに利用できる余地がたっぷりあり、人類はそこで目にするであろう粒子を並べ替えたり操作したりできるようになる、という自説を披露した。針先で利用できるスペース、『ブリタニカ国際大百科事典』の字数、DNAに格納されている情報量など感覚のまひしそうな話を通じて、彼は原子スケールを操作の余地のきわめて大きい環境として描き出し、このような意図的な再構築によって途轍もない物事を引き起こせる可能性が生まれると唱えた。彼に言わせれば、これは探究の機の熟した研究分野だった。

ファインマンはあの先駆的な講演において、いつの日か原子や分子が特別なツールで直接操作され、信じがたいほど便利な性質を持つ新たな物質をつくり出せるようになると予言した。また、原子の並びを制御する力を得た暁には、「物質が持ちうる性質の幅も、私たちにできる物事の幅も、それまでより途方もなく広がっている」だろうと自信ありげに述べている。[1]

この講演は未来を見事なまでに予見していた。原子のスケールで「見る」ことのできる走査トンネル顕微鏡は１９５９年にはまだなかったので、[2]ファインマンが正しいかどうかを実際に確かめることは誰にもできなかった。にもかかわらず、科学者や技術者はファインマンの予想に駆り立てられて、物理世界のつくり変えに向けた革命的な新たな道のりへと進んだのだった。

あらゆる分野に広がる

ナノテク革命はこっそり始まった。ナノ材料を含む初の商品が市販されたのは１９９９年のこと。市民がナノテクノロジーについて何かしらの知識を持つずいぶん前に、擦り傷に強いナノ材料を含む塗料でコーティングされた車のバンパーや、強度を高めるべくフレームにカーボンナノチューブが添加されたテニスラケット、さらには紫外線を寄せつけないナノサイズの反射材が用いられた日焼け止めなどが店頭に姿を見せ始め、消費者はそれらを買って日常生活に取り込み出した。ナノ材料に見られる驚きの物理は、そうしたことを気に留めない消費者には伏せられていた。

「ナノ」は10の-9乗、すなわち10億分の1のことだ。ゼロがこうもたくさん連なることから、ナノと名のつくものは何にしてもごく小さいということになる。単位がミリメートルなら極端に短い長さを意味し、ナノメートル単位の物体となればそれはもう本当に小さい。1ナノメートルは紙1枚の厚みの10万分の1ほど、1センチは1000万ナノメートルだ。あなたの体内で個々の細胞の核の奥底に埋まっているDNA鎖の極微のらせん径は2ナノメートルほどである。ビー玉を1ナノメートルまで縮小し、その他すべてを同じ比率で縮めることができたなら、平均的な大人は地球を1歩でまたげる（当然ながら、またぐ大人は縮んでいないとしての話）。

体を引き合いに出す別の例がお望みならば、爪は毎秒1ナノメートル前後伸びる。まあ、爪をどれだけ必死に見つめても伸びる様子は視認できないが。一方、ライアン・ゴズリング（に限らず男性の映画スター）の無精ひげは毎秒5ナノメートル伸びる（そしてファンはこちらは見つめ続ける）。

ナノの驚くべき性質はまだある。水分子の長さは1ナノメートルの半分もなく、金の原子はさらに小さい（約4分の1ナノメートル）。一方、典型的な細菌は差し渡し2500ナノメートルと巨大で、プロバスケットボール選手のレブロン・ジェームズの身長はなんと20億3000万ナノメートルだ。

ここで、大事なことに触れておこう。大きさが100ナノメートル単位を超えるとナノスケールとは見なされなくなる。つまり、細菌もレブロン・ジェームズもナノスケールではない。それに対し、縦・横・高さのどれかでもナノサイズならナノとされる。たとえば、グラフェンは炭素が格子状に並んだもので、厚さはきっかり1原子分だ。グラフェンのシートは差し渡しがディナープレートと同じでもナノとされ、それはこのグラフェン「皿」の高さが1ナノメートルに満たないからである。というわけで、1ナノメートルはきわめて短く、この極微の寸法における物質の性質を研究するのがナノサイエンスである。

ナノスケールの研究は科学において比較的新しい研究分野だが、ナノスケールの浮遊物なら、ホモ・ファベルがものづくりの道へ足を踏み入れるはるか以前から存在している。ナノサイズの物〔微生物を含む〕はあちこちに散らばっており、土壌にも海水中にも大気中にも見つかる。思わず見とれる自然現象のいくつか、たとえばチョウの翅の光沢、ヤモリの足の吸着性、ウツボカズラのような食虫植物の口の縁の滑りやすさを実現しているのは、そうした生き物の持つナノサイズの生体構造だ。グラフェンやフラーレン〔基本的にはサッカーボールのように丸まった形をしたグラフェン〕などの尋常ならざるナノ炭素構造は、当然ながら地球上に限らず宇宙においても生まれる。

人類もことあるごとにナノ材料をそうとは知らずつくってきた。何世紀も前からあるステンドグラスは、その美しさの一部をナノサイズの金粒子や銀粒子の存在に負っているのだが、つくっている職人には自分がナノスケールを活かしていることなど知る由もなかった。千年以上前からあるダマスカス剣の刃には、単体のカーボンフラーレンが見られるし、淹れたてのコーヒーから漂う香しいにおいにも、ぐちゃぐちゃの生ゴミが放つ悪臭にも、ナノスケールでの性質が影響している。

　自然環境にはナノサイズの物質がときおりいくらか存在しているが（そして人類も何世紀にもわたってそれとは知らず散発的につくり出しているが）、物質の大半はナノスケールより何千倍何万倍も大きなスケールで自然界に存在している。ファインマン以降、ナノスケールが科学者の興味を引き始めた理由には、ナノ材料の希少性が大いに関係している。

　ナノスケールにおいて、物質はえてして反応性が高まり、必ずや不安定になる。そのため、ナノスケールで物質が自然な状態で放っておかれると、たいてい近くの物質と速やかに反応し、もっと大きくて不活性なものになる。ナノテクノロジーが科学技術のホットな分野に数えられている理由は、こうして反応して平凡で安定したものになる機会が訪れる前に、ナノスケールにおけるあの強い反応性を活かせるよう物質をなだめすかす方法が、研究によって突き止められたからにほかならない。

　意図的につくり出されたナノ材料の場合、平凡だったものが突如として特殊なものになる。ナノサイズの粉末は炎にさらされると爆発するし、金は色が赤に変わって融点が下がる。ナノ形状の炭素では、ほかの形状の場合とは違って電導性がきわめて高い。ナノドット（量子ドット）における発光は光の波長を精密に調節できるし、ナノ表面を与えられた物質は強度が何桁も増すし、ナノ物質は強い化学反応を引き起こす触媒になる。奇妙なナノ世界においては、超常磁性がだしぬけに現れたり、磁場の向きが温度の影響を受けてランダムに反転したりする。分野を問わず、物質のサイズを小さくしていくと、わくわくするようなまったく新しい現実が生み出されるのである。

こうした不思議な現象を支える基礎的な物理的真実がいくつかあるのだが、とてもわかりやすく、白衣をまとう博士並みに理論物理学に通じている必要はない。ナノ材料の強い反応性や尋常ならざる性質は、主に基本的な幾何構造に由来する。何か球体を用意し、サイズを小さくしていくと、表面積と体積との比が大きくなる。サイズが極微になれば、表面に現れるもののほうが内部に隠れるものより相対的に多くなる。このように、表面積対体積比は、大きいビー玉より小さいビー玉のほうが大きく、小さいビー玉より極微のビー玉のほうがさらに大きくなる。

こうして表面積対体積比が大きくなると、表面で外界に露出している部分の割合が一段と大きくなる。物質どうしの化学反応は表面で起こるので、表面に出ている割合が大きい状態では、反応に関わる部分が多くなる。こうした状況で反応が起こると、興味深い物事がいろいろと起こりうる。

物質がナノスケールに向けて小さくなるにつれ、表面積対体積比はあきれるほど大きくなりだす。たとえば、差し渡し10ナノメートルの粒子では2割の原子が表面に出ており、3ナノなら5割ほどにまでなる。ずいぶん表面に露出しているのだ！　これだけ露出していれば、大きなスケールでは持ち合わせない化学特性や物理特性を同じ物質が示しても驚きはない。
だが、話は幾何構造だけでは終わらない。ナノスケールになると性質が劇的に変わるもうひとつの理由は、物質そのものに由来している。大きなスケールにおいては、量子の世界で起こる不可思議な効果はまず見られない。なぜなら、そうした効果は物質全体を構成する何万何億という原子によって均《な》らされるからだ。ところがナノスケールになると、関わってくる原子の数がきわめて少なく、大きなスケールであれば必ずや効いてくる量子特性の平均化がたいして効かなくなる。そのため、物質の挙動を量子効果が支配しだす。

こう考えてみよう。あなたが卑猥な言葉を1万人から投げかけられたとしても、聞こえてくるのはやかましいばかりでよく聞き取れない騒音だけだろう。だが叫ぶのが5〜6人しかいなければ、十分聞き取れて気分を害する可能性が高い。ナノスケールでも同じようなことが起こり、一握りの量子特性が耳にしっかり飛び込んでくるようになる。

物質のサイズが極小になり、電子の波長ほどの大きさになると、物質内の電子の取るエネルギー準位が連続的な帯から飛び飛びに変わって量子効果が生まれる。この変化は物質の光学特性、機械特性、熱特性、磁気特性、電気特性に大きな影響を与え、表面の効果をひと味違うものにする。ナノスケールのペンネパスタにも見えるカーボンナノチューブは、「ペンネ」の一端からもう一端へ熱をとても良く伝える一方で、チューブ全体としての断熱効果が高い。グラフェンは普段は非磁性だが、特定の物質で短時間包むと磁性体になれる。

グラフェンとカーボンナノチューブはどちらもナノサイズであるおかげで、光を吸収する能力が非常に高いという、なかなかお目にかかれない光学特性も持っている。そのため、現在手に入る最も黒い素材に数えられており、レーザーテクノロジー用途で役立っている。ほかにも、ナノチューブはとてもしっかりまとまり、微々たる重量で鋼鉄の7倍の引っ張り強度を発揮する。この目を見張る強度はマクロ形態の炭素とは大違いだ。子供の頃に鉛筆の芯を数え切れないほど折った経験を思い出せばわかるとおり、グラファイト（黒鉛）はとにかく脆い。それに対し、ナノに分類されるグラフェンは防弾チョッキの素材に適しているほどである。

物質の持つこのような強力な性質を、今や科学者はナノスケールで乗っ取れるようになったわけだが、これらの性質に途方もない可能性が秘められていることは言うまでもない。炭素のように安くてありふれた素材が、違う大きさに加工するだけで突如として軽くて、強くて、柔軟で、導電性が高くて、磁性の強いものになるのだから、科学技術全般にわくわくするような新たな可能性がもたらされる。材料化学、医療、ＩＴ、エネルギー生産、光学、センサー、軍事技術、商業生産などなど、該当する分野を挙げていけばきりがない。これらの可能性について思案を巡らせたノーベル賞受賞者でナノテクの先駆者であるリチャード・スモーリーは、「こうしたテクノロジーで実現できそうな物事の一覧を眺めていると、文明が書き出したクリスマスのお願い事リストにも思えてくる」と興奮気味に語っている。[3] 欲しいものは何でも手に入るのだ。ナノテクノロジーには、ホモ・ファベルがものづくりを営むほぼあらゆる分野に潜在的な用途がある。

ナノスケールでその姿を見せる目新しい性質には途方もない経済的可能性があることに、ホモ・ファベルの重要な亜種——ホモ・ファベル・エコノミクス（Homo faber economicus）——がすぐに気づいた。大きさを変えて活性化し、物質からとびきり異質で価値の高い性質を引き出せるなら、前途有望な世界が目の前にひらけ、そこで大儲けできる可能性がある。それもあって、米国政府は現在、国家ナノテクノロジー戦略という、アメリカ経済全体でナノスケールにおける発明や発見を促そうという幅広い活動に、毎年15億ドル前後を拠出している。

驚異的なデータ処理も可能に

現代ナノテク革命が始まって20年、ナノ材料が商業に影響を及ぼしている分野の数々をもらさず把握し続けることは難しい。表面の挙動を変えるナノ処理により、さまざまな日用品で撥水、反射防止、紫外線カット、くもり止め、抗菌の性能が向上している。ナノ材料はゴルフクラブにサングラス、窓のカーテンや飾り、食品添加物にも台所用品にも玩具にも含まれている。ナノコーティングされた繊維なら、赤ワインやケチャップをこぼしても大丈夫だ。シャツの脇の下に入れ込まれた銀ナノ粒子は、体臭の元となる細菌を殺して臭いを抑える。ナノ銀を含む食品パッケージは有害な微生物に強く、貯蔵寿命を延ばす。ナノ構造採用というパッケージもあり、発泡性飲料の炭酸飽和のような望ましい性質をより効果的に保持できる。ナノ処理された冷蔵庫や冷凍庫では、清潔さが長持ちする。化粧品に配合されたナノ粒子は、肌への浸透力の強化からローション塗布の均等性の向上まで、幅広い機能を実現している。ナノサイズの粒子が入った切断工具用の刃は、ナノ粒子を含まないものに比べて何倍も長持ちする。

IT分野におけるナノテクの実力なら、ユーザーインターフェイスで証明済みだ。ナノ構造を持つポリマーを用いたスマートフォン画面は、画像の鮮明さが増しているうえ、ぎらつきが抑えられてもいる。しなる画面が実用化されれば、スマホをお尻のポケットに入れたまま座ってしまっても、高額な修理代を払いに店舗へ出向くはめにはならないだろう。だが、ここまで挙げてきた恩恵は外から見えるものばかりだ。さらなる可能性を期待されているのが、ナノスケールによるデジタル情報処理の高速化である。

ファインマンが例の講演で理論化したとおり、小型化は情報の保存と処理に大きな可能性を秘めている。現代のコンピューターで、こうした機能はケイ素などの半導体素材でできたトランジスターで実現されている。今日一般的な電界効果トランジスター（FET）では、2端子間の通路（チャネル）を流れる電流のオン／オフを、第三の端子（ゲート）に電圧をかけて切り替える。トランジスターの小型化を進めれば、端子間距離は極微になるが、ありえないほど高価になるうえ、量子トンネルと呼ばれる奇妙な現象が生じる段階へ近づいていく。

量子トンネル効果が起こると、絶縁されているはずのゲートとチャネルのあいだに電子が流れる、という不都合が生じる。この効果などによって電子が漏れるせいで、望ましからぬ熱が発生し、効率が低下して、デジタル情報を表すのに必要な0と1が保証されなくなる。

この問題に対して考えられる答えのひとつは、従来のトランジスターをナノワイヤーでできたものに置き換えることだ。チャネルをナノワイヤーにすると、その構造と寸法のおかげで、そこを通る電流を安定に制御しつつ、電子の漏れを最小限に抑えられる。トランジスターをすっかり排除し、代わりに原子や電子のスピンが持つ2値的な性質を活かす、というもっと大胆なアプローチもあり、研究レベルではスピンを事実上瞬時に反転させる方法が会得されつつある。ほかにも、原子の位置を用いて1と0を把握する方法をオランダの科学者らが探っており、銅板上で個々の塩素原子を異なる位置に動かすことによって、現状のテクノロジーを2〜3桁上回る密度で情報を保持する、という方法がすでに明らかにされている。

このスケールでのデータ処理なら、驚異的な処理能力を実現できる。情報処理ユニットは、現在手に入るどれと比べても、小型化の格段に進んだ、エネルギー効率の高いものになりうる。こうして処理能力が高まれば、システムクラッシュの最中にデータをほぼ瞬時に保存する、といった現状では無理だがユーザーにはありがたい機能を開発できるようになるだろう。

ナノテクノロジーは、効率のきわめて高いデータ処理の手法に向けて扉を開く一方で、汚れに強い買い物袋というなんとも日常的な利便性を実現するなど、現代の暮らしのさまざまな側面を変えていくテクノロジーであることを証明し続けている。

不可能を可能にする

こうした目覚ましい潜在能力が熱狂を巻き起こしているが、少々立ち止まって、ナノテクノロジーがどれほど根本的な変化を意味するのかを考えてみよう。ナノテクノロジーは、人類が明らかにしてきた物質世界の基本パラメーターをいくつか定め直す。おかげで、地球から差し出された標準形態の物質について、その構造を大幅につくり変えられるようになる。ナノスケールにまで縮めると、出来上がったナノ材料は、自然によってこれまでほぼ封印されてきた新たな性質を示す新たな基礎材料になる。有用な挙動を覆い隠してきたベールがめくられたのだ。昔からある物質の新たな形態は、当初のホモ・ファベルには想像もできなかった形で役に立つ。ナノスケールに突入したことで人類がこじ開けたのは、歴史が私たちの目に触れさせないようにしてきた世界、前の世代からは知られることも活用されることもまずなかった世界だ。

ナノテクノロジーは、かつてなく深いレベルで自然へ介入できることを請け合っており、その過程で人類とこの世界に存在する物質との関係を切れ味鋭く定め直す。もはや、見つけた物質の既存の形状や性質で我慢する必要もなければ、これまで明らかにしてきた元素の標準的な構造で満足する必要もない。ナノテクノロジーを使えば、既存の原子や分子の並びを微調整することで、新たな性質を白日の下にさらすことができる。おなじみの形態における物質の限界は関係ない。ナノテクノロジーのおかげで実質的に、物質世界のまったく新たな次元に手が届くようになるのである。

環境問題に関わる活動家の多くが、物質を原子や分子のレベルで操作することに対して見るからに複雑な感情を抱いており、なかには、そこまでやるのは踏み込みすぎであり、ナノスケールであらわになる尋常ならざる性質がたいてい目に触れないことには何か理由がありそうだ、と感じている者もいる。あらわになる強烈な反応性は見慣れないものであり、警戒心を抱かせる。そのため、そうした普通ではない性質に普段は手が届かないという事実は、何か大事なことを語っているに違いなく、ナノ世界を探求することは、放っておいたほうがよさそうな眠れるヘビをつつくようなもの、などと感じるのだ。

こうしたためらいはもっともだが、生態系への意識の高い懐疑派は、ナノテクノロジーが環境の持続性に大きく貢献できそうなことは認めねばなるまい。エネルギー関連で言えば、熱電特性を活かせるように設計されたナノ構造は、廃熱がどこから漏れ出てもそれを捉えて電気に再変換できる。ナノテクノロジーの発展は、短充電時間・高出力のバッテリーに給電できる高効率ソーラーテクノロジーに早くも貢献している。ナノテクノロジーによって、柔軟で塗装さえ可能な太陽電池パネルができるかもしれず、実用化されれば、車のボディから車庫の扉や愛犬にまで、日の当たるものになら何にでも装着できるようになる。

ナノ材料を触媒として用いると燃焼効率を高められ、材料としての樹木からバイオ燃料への変換時間の短縮に役立つ。特殊な光学特性を持つナノ粒子は、環境汚染物質の存在を示す指標として利用できる。反応性の高いナノ処理は、泥や水から汚染物質を取り出すことを通じて、抽出の難しい汚染物質にまみれた土地の改良に貢献できる。太陽エネルギーだけを使って大気中から二酸化炭素を取り出せるような金ナノ構造も開発中だ。また、ナノフィルターとして機能するグラフェンの膜は、海からサケを網で引き揚げるようにして、空気中の水素をふるいにかけて取り出せるかもしれない。得られた水素は、副産物を水しか残さないクリーン燃料として燃やすことができる。

ナノテクノロジーが役立ちそうな環境ということでは、人体もそうだ。ナノテクノロジーは環境にとって大いに有望そうだが、それと同様に医療の分野でもきわめて広範な用途を見いだし始めている。ある種のナノ結晶が示す量子特性は人体の医療画像撮影にとても有用で、たとえば注入物質の蛍光発光を、従来用いられてきた何より幅広い周波数域にわたって長時間持続させる。このいわゆる量子ドットは体内に注入されても、病理診断医が詳しく見ようとしている細胞物質の挙動をえてしてあまり邪魔しない。

細胞内の分子の変化を検出できるナノセンサーの設計も進んでいる。実現すれば、悪性腫瘍を、現状のテクノロジーでできるよりもずいぶん前の段階で発見できるようになるかもしれない。また、ナノ材料に視神経や脊髄神経の成長を促す力があることも示されてきており、衰弱性の損傷の回復を高める可能性が見えている。ナノ構造は歯や骨のインプラントにおいてはすでに一定の役割を果たしており、たとえば表面構造の向上によって義歯と患者の顎の骨との結合を向上させている。ナノサイズの脂肪微粒子に薬剤を仕込んだものを腫瘍に送りつけ、穏やかな熱で刺激することで、望みどおりの場所で薬剤を放ちつつ、周りの細胞を損なわずに済ませることもできる。現在開発中のこのいわば「熱ナノ擲《てき》弾」は、医療の専門家から「ナノ医療の聖杯」と呼ばれている。

欲しいもののリストにおいてナノスケールで求められているものに刺激され、技術者や発明家が創造力をフル回転させている。荷物を宇宙まで安上がりに届けたい？　それなら、宇宙エレベーターはどうだろう？　この施設では、地上から周回軌道上の基地まで延びるきわめて長いケーブルを使って、地表から重力圏外まで荷物を運び上げることになる。それほど長く延ばせるうえに十分強くて軽いケーブルをつくれるのか？　問題ない。カーボンナノチューブを撚り合わせればいい。ナノテクノロジーはこうした不可能にも思えるビジョンを実現可能にする。宇宙エレベーターは、ナノテクノロジーの何とも巨大な氷山の、最もSFじみた一角にすぎない――宇宙エレベーターが「すぎない」ものかどうかはともかくも。

天然と人工を超えて

熱烈な支持者が請け合う物事を洗いざらい並べ、全体としてじっくり冷静に検討してみたなら、ナノテクノロジーの話は少々できすぎではないかと思い始めるかもしれない。並べ立てられている可能性に心躍る側面があることは間違いない。だが、暮らしを計り知れないほど向上させると熱烈な支持者が請け合う、初期段階の強力なテクノロジーにありがちなこととして、ホモ・ファベルの強力なナノテクの刃は諸刃となりうる。

まったく新しいきわめて反応性の高い物質形態を、食品や医療、さらには体内といった、日々の暮らしのさまざまな側面へ意図的に導入する。そんな発想についていけない者がいるのもうなずける。ナノテクノロジーが経済的に有望なのは、示す性質が新しいからこそだが、人類はこれまでほぼ一貫して、そうした素材が存在するなかで進化してきたわけではなく、長期的な影響が私たちや周囲の環境に対してどう転ぶかは不透明だ。ナノ材料が「不自然」かどうかは意見が分かれるところかもしれない。なにしろ、ナノ物質はこれまでも自然界にわずかながら潜んでいた。とはいえ、ナノ物質と日々の暮らしのなかで頻繁かつ身近に遭遇することに人類は慣れていない。

消費者保護活動家の一部は、遺伝子組み換え作物に絡む論争を思わせる議論のなかで、こうした新しい構造体が人間や環境の健康に与える影響にはまだ不透明な部分が多いことから、ナノ材料が用いられている商品にはその旨が明記されるべきだと考えている。そうした記載は今のところ大半の国々で不要だ。情報が欠如しているこの現状をふまえ、さまざまなオンライン目録が、市場に次々と投入される新しいナノ製品を把握しようと懸命に努めている。

最も包括的とされるリストを用意した組織のひとつが、首都ワシントンの「新興ナノテクノロジーに関するプロジェクト（ＰＥＮ）」だ。ナノ材料を含む商品の開発は急速に進んでいることから、ＰＥＮのリストは包括的だとはもはやうたっていないが、何らかの形態のナノ材料を含んでいると考えられる市販の製品が２０００点近く挙げられている。

このリストの制作側は、ナノ材料の有無の判断をメーカーの主張に頼っている。ナノ材料が使われていることは、セールスポイントとして製品パッケージに大々的に表示されていることもあれば、否定的な反応の可能性をふまえてか、あまり大きく取り上げられていないこともある。ナノ材料が含まれていることの明示がどの程度微妙な問題なのかは、国によっても違う。たとえば、バナナボート社は同社の日焼け止めに消費者が懸念を抱くことを心配して、オーストラリアでは２０１２年に、「ナノ粒子（大きさ１００ナノメートル未満の粒子）は、オーストラリアで製造・販売されているバナナボートブランドのどの日焼け止めにも一切使用されていません」[4]という声明を出しているが、同社のアメリカ向けのウェブページでこの件は触れられていない。ＰＥＮのデータベース編纂者も認めているとおり、メーカーによる主張を独自に確かめることは概して不可能だ。

ＰＥＮのデータベースには、該当製品を使う人がナノ材料にさらされうる経路も示されている。皮膚、肺、胃も経路に挙げられているのだが、それはさまざまなナノ製品が手に取る、吸い込む、あるいは食べるようにできているからだ。最近の研究によると、肺から吸い込まれた金ナノ粒子は、血流に乗って体内を巡った末に、血管系への影響のわかっていないさまざまな弱い場所に留まる可能性がある。[5] 消費者の懸念に応え、EU法では現在、EU域内で販売されるナノ材料入りの化粧品や食品やサプリにはその旨をラベルに記載することが義務づけられている。アメリカで同様の義務はなく、マクロサイズの材料を念頭に定められた法規制がナノサイズの材料にもたいていそのまま適用されている。アメリカの法規制はこれまでのところ、ナノとマクロのどちらのスケールでも原子構造は原子構造であってそれ以上でもそれ以下でもないと想定しているのだ。この論理では、ナノスケールで見られる性質がマクロスケールでの性質と違うからこそナノ材料は興味深いという事実が無視されている。

ナノ材料に対する新たな報告義務が米国環境保護庁（EPA）によって2017年1月に導入され、ナノ材料の製造・処理業者に対し（ナノ製品を最終的に消費者に販売する業者ではない）、製造ないし処理している物品の基本情報を提供することが初めて義務づけられた。それを定めた最終規則でうたわれている目的は、EPAがナノ材料の規制をさらに強める必要があるかどうかを評価すること、そして現在製造されている具体的な物品の目録をつくることである。この規制は企業のほうを向いており、義務づけられている事柄はどれも、「ナノスケールの材料全般またはナノスケールの材料の特定の使用によって、人体や環境に悪影響が必ずや及ぶ、または及ぶ可能性が高い」という前提に基づくものではないことを強調している。[6] その先の文面でも、関連しうるその他の連邦法規に関する議論において、この新たな要件は有用な追跡手段として機能すると思われるが、「環境衛生や安全へのリスクに関与するものではない」と念を押している。

現実問題として、ナノテクノロジーは新しいうえ、何らかの結論を導けるような長期的な調査がまだなされていないことから、ナノ材料が健康や環境に及ぼす影響はさまざまな事例においてまだわかっていない。この話は複雑なうえ、興味深い難題も存在する。それはナノ材料の規制についての議論に埋もれているものの、変成新世のテクノロジーの数々につきまとう難題だ。何かと言うと、合成の時代の幕開けにおいて、天然と人工との線引きが信頼できる目安となるかどうかだ。これまで、天然は「普通」、「環境に優しい」、「安全」といった概念と結びつけられてきたのに対し、合成や人工は「人間向きに変えられた」や「不自然」、（そしてしばしば）「潜在的に怪しい」といった概念と結びつけられてきた。人工物の安全性はかねてから精査の真っ当な対象だった。

この大ざっぱな一般化が頼りになる目安だったことはない。天然物質には致命的なものが多いし（ヒ素やヘビの毒など）、人工物には命を救えるものが多い（合成インスリンや新生児の集中治療室など）。とはいえ、この一般化は大ざっぱな経験則として相変わらず支持されている。天然のものには心の底から安心できるところがある、という深く根づいた文化的先入観が元になっているからだ。健康食品店の棚にずらりと並ぶ商品のラベルがその証と言えよう。この先入観は現代の環境運動に歩調を合わせて強まってきた。

ナノ材料は、こうした型にはまったルールを大きく混乱させかねない。多くの場合、ナノ材料の原料はありふれた物質で、その大半はすっかり安全だと見なされている。そうでない物質は、アメリカでは１９７６年の有害物質規制法による規制の対象だ。欧州のナノテク工業協会によると、現在生産されている全ナノ材料のうち、重量にして85パーセントの原料が炭素またはケイ素で、どちらも毒性の高さで警鐘がたびたび鳴らされるような元素ではない。だからといって、何が保証されているわけでもない。ナノ世界が目を見張るような新しい特性を生み出さないなら、研究者や実業家の関心はこうも引かなかっただろう。そして、こうした目を見張る特性が人類史を通じてきわめてまれなものだったなら、人体は順応できない可能性が高い。

商業的な関心がこのことにも配慮するとは思えない。特定の形態の物質が、標準状態と大きく違う挙動を示したなら、それについて少々詳しく調べるべきだ。

有望なテクノロジーが、守られた少数にとっては実にうまい汁である一方、何も知らずに押しつけられる市民への配慮が大してなされない。歴史を振り返ればそんな事例に事欠かない。ナノテク革命の初期段階にある今、この教訓は頭の片隅に置いておく価値がある。皮膚に擦り込まれたり、肺に入り込んだり、腸から吸収されたりする新形態の物質にはリスクがある。そうした物質を暮らしのさまざまな場面に迎え入れる前にリスクを調べないなど、愚かなことと言えよう。

ナノ材料は、この新しい合成の時代に繰り返されるジレンマの具体例にすぎない。言うまでもなく、身の回りの世界をかくも大きく再編しうるテクノロジーからは、健康や環境に途方もない利益がもたらされうる。だが、同じように言うまでもなく、身の回りをこのレベルで操作することは警戒心を抱く理由にもなる。

健康面や安全面についての現実的な懸念に加えて、哲学寄りの視点も忘れてはいけない。ナノテクノロジーの出現とともに、私たちと身の回りの世界との関係について何かがシフトしている。ナノテクノロジーにより、人類は自身を物質の性質そのものに、これまでしたことのない形で組み込ませられるようになる。ナノテクノロジーは、自然が差し出す物質に対して前例のない配置換えを試みる。科学にとって多分に新しい物質形態をつくるという意味で経験的に新しいばかりか、世界をつくり変える企てをかつてないレベルで営ませるという意味で概念的にも新しい。そこで気になるのが、リスクや利益の問題だけではなく、意味合いや価値観についての深い問いだ。ナノテクノロジーの未来へ船出するなら、自然界の秩序のどこまで探査すべきかを問わなければならない。

そんなテクノロジーについて慎重に考える必要があるのは、研究に携わる科学者やリスク評価に関わる者だけではない。世界中の哲学者に未来学者、深い皺の刻まれた年配者や伝統的な知識の語り部もだ。これは単なる商業上の決断ではない。人類がどうなりたいのかについての重要な意思決定である。よって、道義上の要請として、意思決定はできるだけ民主的でなければならない。これは来《きた》る合成の時代についての最も基本的な要請に数えられそうだ。

第2章 原子の位置を動かす

ナノスケールで物質の新たな挙動を利用できるようになってきたが、それはナノテクノロジーの描く夢の一部でしかない。ファインマンによる１９５９年の講演ではナノテクノロジーのまた別の形が紹介されており、こちらは物質のもっと有用な性質を明らかにするという域をはるかに超えている。彼の予想した驚くばかりの人類の未来においては、それ専用に開発されたツールを使い、原子や分子を考え抜かれた配置に直接並べていく。先見の明に優れたかの物理学者の見通しによると、原子をつまんで自由に動かすというやり方で原子の並びを変えられるようになれば、原子を1個ずつ動かして、望むものをほぼ何でもつくれるようになる。ものづくりの材料にも数あるなかで、原子を最も基本的な素材として使えるのだ。彼はこのナノテクビジョンを「分子製造」と呼んだ。

カルテックでの講演から30年後の１９８９年、ファインマンの夢に向けた第一歩が実現された。原子を1個ずつ手動でつまみ上げて別の位置に置く、という作業が可能であることをＩＢＭの研究者らが実証したのだ。彼らは走査トンネル顕微鏡の先端を用い、単独のキセノン原子35個を、雇い主である企業名Ｉ‐Ｂ‐Ｍと綴られるように並べ替えたのだった。[1]適切なツールを使えば原子を新たに選んだ並びに配置できることを示したのである。

　個々の原子を自由な並びに配置できることは、ファインマンがナノスケールについて最初に気に入ったことのひとつだ。理論上は、各原子の位置を調整することで、およそ思いつくものを何でもつくれるうえ、つくる際にほとんど無駄を出さずに済ませられる。材料に含まれている元素がどのような組み合わせだったとしても、それを再利用してほぼ何にでもつくり変えられるからだ。使える原子の膨大な数を聞けば、その可能性がわかるだろう。バケツ1杯の水に含まれる水素原子と酸素原子の数は、大西洋の海水の量をバケツ単位で量った結果の数より多いと考えられている。家庭の生ゴミには幅広い元素の原子が兆の単位で含まれているだろう。それらすべてが再配置の対象になりうるのだ。

　そうしたわけで、分子製造は使い回しの面で無限の可能性を約束するだろう。大量のボローニャサンドイッチを成している原子を元素ごとに分けられるなら、あとは再配置の方法がわかっていれば、そこからまともに空を飛ぶ飛行機をいつか本当につくれるようになるはずだ。各元素の原子は、炭素繊維でできた飛行機の翼に使われていても、加工肉のサンドイッチに挟まれていても、互いに違いはほとんどない。こうした使い回しが可能になれば、何を廃物とするかが考え直され、何が材料の制約かという感覚が大きく変わる。

分子製造の熱狂と懸念

分子製造という発想は、創造力豊かな者たちを再び熱狂させている。ファインマンが意図した分子製造の目指すところは、材料を再利用したり使い回したりすることではなく、有用な作業をするナノスケールのロボットを原子の操作でつくることだった。ナノマシン、ナノボット、ナノイドなどと呼ばれているこの極微の機械ができれば、マクロスケールの装置では想像もつかないような作業を任せられる。

ファインマンは１９５９年の講演で、手術で外科医を飲み込めたらどれほど面白いことになるかを同僚と想像して遊んだことについて語っている。のちに１９６６年の映画『ミクロの決死圏』として実現するこの設定で、彼らはこんな空想を展開した。ナノサイズの微小潜水艇が血管系内を、あちらでプラーク〔動脈内部に溜まった固まり〕を少々削り、こちらで変色を診断したりしながら自律的に移動し、やがて心臓に達する。そして心房や心室を直接観察し、その様子を体外で監視している本物の外科医に報告し、重大な介入を行うことができる、といった感じだ。これらで編隊を組めば、コレステロール除去のような命を救う作業を実施できるだろう。リンパ節で生まれたがん細胞を見つけて破壊したり、害をなすウイルスを除去したりするよう設計されたナノボットさえつくれるようになる。未来のナノスケールのロボット外科医は個々のニューロンを扱えるほど小さくなっており、損傷を負った患者の歩行能力やともすると思考さえ取り戻せる可能性まで生み出しているかもしれない。

熱心な者たちはこの移動できる極微の働き者にふさわしい価値ある役割を、医療以外の分野でもいろいろと思い描いている。ナノマシンは、スモッグを食べたり、こぼれた薬品を掃除したり、飲み水に含まれる細菌を見つけて殺したりできるだろう。小さいので、気づかれずに行くことが人間にはかなわない場所に入っていける。軍用では、過酷な環境で諜報活動にいそしんだり、迫りくる化学兵器への防衛に上空で備えたりできるかもしれない。

的確に設計された分子機械はファインマンの大のお気に入りだったが、目指すところは自律的な微小ロボットをつくることだけではない。ＹｏｕＴｕｂｅには、回転ラチェット、心棒、プロペラ、カセットを備えた仮想生産施設のアニメーションが多数投稿されている。ぱっと見には現代の工場のようでもあるが、よく見れば、取り上げられたり置かれたりしているのは、木材や金属片やプラスチック部品ではなく原子や分子だ。完璧に機能するこうしたナノマシンが、原子や分子を休むことなく所定の配置に並べていく。そうしたアニメーションで描かれているナノマシンは３Ｄプリンターにも似ているが、はるかに微小なスケールでものを1層ずつ——文字どおり原子1個ずつ——つくり上げていく。描かれているのは桁違いに生産性が高くて無駄の少ない未来であり、精緻な労働がマクロスケールではなくナノスケールで行われる。

驚くことでもないが、分子製造というビジョンはなにしろ魅力的だ。小型化の恩恵ならもう身の回りで得られており、エレクトロニクスや情報記憶などの消費者製品分野における小型化の見返りはご存じのとおりだ。英語では極微の精度の意味で「atomic precision（原子の精度）」と表現することがあるのだが、この表現が「何かをできる限り効率良く行うこと」と事実上同義となってきた。そのせいか、精緻な機械操作の連携による反復作業で対応できそうな問題なら、ナノロボット工学でほぼ何でも解決できそうに見える。

だが、こうした熱狂は冷ます必要がある。ナノボットや分子製造がファインマンによって初めて提唱されて60年ほどになるが、実現はまだはるか先の話であり、これまでの活動の大半は、ナノテクのなかでも「物質の性質を扱う」という科学的側面だ。クリントン政権下で２０００年に始まった国家ナノテクノロジー戦略は、理論の域をまだ出ない分子製造による未来にはあまり気前が良くなく、資金はほとんどが商業上有望だと実証済みの分野に注がれている。

その間《かん》、未来のナノテクノロジーに関する研究は思わぬ展開を見せてきた。最先端の分子製造は、機械工学の原理をもとにロボットをつくっているというより、生化学の原理をもとに生体構造をつくっているように見える。分子製造に携わる研究者がすぐさま気づいたことだが、原子や分子のスケールで有用な機能を果たすナノスケールの機械として、その最高の実例は生物の細胞内に見られる生体「機械」だ。最新の分子製造研究では、生体内の実物による動作の簡易版を行うことのできる生体構造を実験室でつくる、という形で自然界の分子ナノボットを再現する試みがなされている。

研究者は、分子生物学の範疇で起こっていることに目を向け、細かいところまで真似ることで、光が当たると回転する生体分子「モーター」をつくり上げた。また、あらかじめ用意された軌道を「歩く」ことのできる分子を設計したし、経路に沿って何かを回転させたり動かしたりできるような、タンパク質構造ベースの「クランク」や「ラチェット」も設計した。「ナノカー」というきばった名前のデバイスまでつくっている。その「車軸」には回転するフラーレンが4個取りつけられていて車両に見えなくもなく、エネルギーが与えられて励起されると決まった向きにぎこちなく進む。これらはすべて、「ウェット」ないし「バイオミメティック」ナノテクノロジーと呼ばれている分野の成果なのだが、こうした呼び名が選ばれたのは、分子生物学者によって研究された生物の構造の、水を要する動作を真似ているからだ。

興味深い成功例ではあるが、自然はナノテクノロジーを人類より格段に得意としている。分子製造の現状について近頃行われたある調査の報告書は、分子機械は重要なあらゆる生体プロセスの基礎をなしているとはいえ、「人類の手による素晴らしい現代テクノロジーの数々のなかに、制御の利いた分子レベルの動きを何らかの形で活かしているものは皆無だ」[2]と結論づけている。こうした試みは限定的な成功しか収めていないからだ。人類の設計した分子機械では、「燃料」込みでの自律的な動作の再現がいまだ難しいし、これまでつくられてきた機械には単一の機能部品しかない。それに、研究者は今のところ、つくった生体機械の長期的な安定動作を保証できずにいる。そのため、分子製造が本当に達成しようとしていることは何かに関して、答えの定まっていない問いがいくつも持ち上がっており、たとえば、生体内に見られる「機械」を真似るべきか、それとも人類がマクロスケールですでにつくったことのある非生体機械を生体部品で真似るべきか、という問いへの見解が研究者のあいだで割れている。

言ってみれば、分子製造の進歩はしばらく停滞しており、やや失望させられる状況かもしれない。先ほど紹介した分子製造の進捗に関する78ページの報告書によれば、生体系において製造は必ず溶液中でなされており、生体環境内ではないドライな工場で分子製造をさらに推し進めたいなら不都合が多層的に加わる。こうした落胆させられる結論が随所で述べられているものの、この報告には分子製造の未来は引き続き「明るい」という見通しが示されている。可能性の低さを前にしても楽観的であることは、科学を推進し続ける原動力のひとつだ。

とはいえ、分子製造の問題は、進捗が絶望的なほど遅いことだけではない。この分野全体が、市民の抱くイメージという大きな問題と闘ってもいる。分子製造という発想そのものが、みずから招いた市民の疑心暗鬼によって勢いをそがれ、発展が阻まれているのだ。皮肉なことに、そのきっかけをつくったのはこのテクノロジーの最たる唱道者のひとりだった。

暴走グローバルエコファジー

駆け出しの頃から、エリック・ドレクスラーは早熟で、夢見がちだった。ファインマンの有名な講演の20年後に当たる26歳のとき、彼は『米国科学アカデミー紀要』という学術誌に論文を発表し、原子や分子の意図的な並べ替えの背後にある機械原理について詳しく述べている。レーガン政権初期という、国中が楽観的な行け行けムードだった時代に発表された論文、「分子エンジニアリング：分子操作を目指した汎用機能開発へのアプローチ」は、ファインマンが着けた火を唐突に再燃させた。ドレクスラーは博士号を取る5年前に、この論文に続いて『創造する機械』（パーソナルメディア）を刊行し、書籍1冊を費やしてナノボットの可能性を探り、ナノテクを夢見る世代を事実上一夜にして生み出した。同年には当時妻だったクリスティーン・ピーターソンと協力してフォーサイト・インスティテュートを設立し、最先端のナノテクノロジーを奨励して、公共の利益にかなう「変革をもたらす未来のテクノロジー」の開発を目指した。

それからようやく本腰を入れて博士号を取りにかかり、マサチューセッツ工科大学から分子ナノテクノロジーの研究で１９９１年に授与されたとき、この分野での博士号はまだ世界初だった。だが、ドレクスラーはわが道を行くことを決してためらわなかった。揺るがぬ楽観主義に突き動かされて、彼はファインマンの抱いた分子製造というビジョンを一途に、先駆者として、執拗に追求した。

四半世紀が過ぎても、その姿勢はほとんど変わっていなかった。２０１３年の著書『根源的な豊かさ：ナノテクノロジーにおける革命は文明をいかに変えるか（*Radical Abundance: How a Revolution in Nanotechnology Will Change Civilization*）』で描かれているのは、物質による制約が事実上なくなるほど人類の手で劇的につくり変えられうる物理世界だ。彼は同書でも、世界を変える可能性が、ありったけの「底にある余地」を活かすことでもたらされると説いていた。フォーサイト・インスティテュートは、ドレクスラーこそすでに退いているものの、カリフォルニア州パロアルトを本拠に今も運営されており、分子製造のビジョンを最も効果的に実現した者に各種のファインマン賞を贈っている。彼のビジョンは生き続けているが、ドレクスラーが駆け出しの頃に巻き起こした分子製造に関する楽観的な見方は、彼ひとりで招いたPR上の大ダメージによっておおかた失われるに至った。

ドレクスラーは『創造する機械』に「破壊する機械」と題した章を設けた。彼は同書の後半に登場するこの小論において、ナノボットや分子アセンブラーが、必要なエネルギーや資材を自己調達しながら自己複製する能力を持つように設計されると、きわめて破壊的になりえる——あまりに破壊的で地球全体を消失させかねない——という懸念を表明した。

意味のある規模で有用な機能を実現する分子マシンをつくりたいなら、自己複製と自己調達は実に望ましい。ナノスケールでつくられるものは何でも、その定義からして極微だ。人間のスケールで何か現実的なことをするためには、往々にして途方もない数のナノボットをつくらなければならないだろう。汚染された工業施設の浄化や、都市インフラに用いる貴重な資材の製造には、現実的なスケールで機能させるために文字どおり兆単位の数のナノマシンが必要となる。これだけの規模にするための最善手は、自力で増えて十分な数の「労働力」を揃えて作業するという能力をナノボットに持たせることだ。さらに、作業の継続のためには、太陽光のような、個々で賄える環境エネルギーを動力源とすることも欠かせない。

自己複製と自己調達のできるナノボットは、効率の面では申し分ないのだが、そこには際立って暗い側面もある。その数を増すばかりの微小な労働力は、エネルギーや材料を取り込んだりみずからを複製したりするたび、燃料や資材として身の回りの世界から物質を取り込まなければならない。このことをドレクスラーはよくわかっていた。分子製造の導師をみずから任じていた彼は、自分が何しろ魅了されていた科学を説明する以外の意図はおそらくなかったと思われるが、自己複製と継続的な消費には制御が利かなくなる可能性があることをうかつにも指摘したのだった。

複利の増え方の威力を取り上げた統計学者やエコノミストの話をいやというほど聞いたことがあるなら、自己複製マシンがどれほどあっという間に増殖するか、感覚的におわかりだろう。短い時間で倍増できる集団は何であれ、恐ろしい速さで恐ろしいまでに増える。ドレクスラーは、１０００秒に1回というかなり控え目な速さで自己複製できるナノボットでも、みずからをわずか10時間で６８０億個にまで増やせると述べている。

低予算のＳＦ映画に出てくるピラニアのように、途方もない数のナノボットが暴食に走って周りのものを何でも消費してしまう可能性がある。活動や複製に必要な原材料をふまえると、行く手にあるものを食べ尽くすだろう。ナノボットの数が指数関数的に増えることによる影響は破滅的となるに違いない。必要なエネルギーや資材をみずから調達しながら動き回る機械によって、「生物圏はものの数日で灰燼に帰す」だろうと、ドレクスラーはあの有名な章で警告した。「レプリケーター〔自己複製子〕は核戦争と並んで絶滅をもたらしうる原因のひとつとなる」。さらに悪いことに、核戦争の場合とは違って、暴走するナノボットはつくるのが難しくないことが予想される。彼は「地球を爆弾で荒廃させるには、風変わりな装置と希少な同位体を大量に要する。だが、あらゆる生命体をレプリケーターで破壊するためには、一般的な元素でできた微小片1個しか要らないだろう」[3]と述べて、みずからの手でいっそう大きな墓穴を掘ったのだった。

ナノボットが世界をむさぼり食うという現象を、未来学者は「暴走グローバルエコファジー〔ファジーは「食いつくすこと」〕」と呼んでいる。何やらいかがわしい響きがするが、巻き込まれたものすべてが全面的な破滅へ向かうことを意味する言葉だ。ナノテクノロジーそのものに以前から懐疑的だった向きは、地球が「グレイグー」と呼ばれる一様な塊と化してしまう可能性を、世界で最も熱心なナノテク推進派のひとりが心配していると知って、警戒感を強めた。そのような変成新世は、どこからどう見ても晴れやかな運命はたどらなさそうだった。

ドレクスラーはほどなく、自分が大火事の火元になっていたことに気がついた。制御不能に陥ったナノボットが大惨事をもたらすという彼の悪夢はすぐさま、いくつかのSF作品の題材となった。マイクル・クライトンが2002年に発表した小説『プレイ――獲物――』（ハヤカワ文庫NV）は、ナノボットの破壊力をセンセーショナルに取り上げて、『ニューヨークタイムズ』紙のベストセラーリストで1位を獲得したほか、ハリウッドでの映画化も取り沙汰された。ドレクスラーの臆測が、分子製造やナノボットという発想そのものに対するPR上の大ダメージとなったのである。チャールズ皇太子が心配し、王立協会に対してナノテクノロジーの脅威を調査して報告するよう要請したほどだ。

ドレクスラーは、グレイグーに関するみずからの警告が自身の大義にとっていかに不利に働いたかを悟り、この騒動を鎮めにかかった。その一環として、自分のアイデアの却下を試みる学術論文を共著するという珍しい手に打って出ている。「安全な指数関数的製造」と題したその論文で、ドレクスラーと共著者のクリス・フェニックスは、あのような暴走するナノボットは、地球を破壊する前にエネルギー切れを起こすか、さもなければ共食いを始めるだろうし、そもそもナノボットを自己複製できるようにする必要がないかもしれない、と論じた。同調の声も上がり、暴走させるに任せるのではなく、ナノ工場とそのナノボットを床に固定するなど、それなりの予防対策をいくつか講じて何も暴れ回らないようにしておけばいいと言う者もいた。

被害対策を何年も集中的に実施した甲斐あって、グローバルエコファジーの恐怖に端を発したパニックは下火になり出した。自己複製ナノボットの危険性について、ナノテクコミュニティに属する研究者の大半はもはや考えもしない。時間と研究費のもっとましな使い道があるのだ。研究者のなかでも警戒心の強い者、あるいはひょっとするといたずら好きの者だけが、暴走グローバルエコファジーの可能性には既知のどの物理法則とも矛盾がなさそうなことを今なお意識している。

「べたつく指」「太い指」の問題

グレイグー騒動の結果、ドレクスラーに対する冒険活劇のヒーローのようなイメージは大きく色褪せ、気がつけば助成金や顧問職の声がかからなくなっていた。彼の考えるナノテクノロジーは好まれなくなり、ナノスケールにおける物質の興味深い性質を明らかにするという、想像力をあまりかき立てない、もっと簡素なビジョンに取って代わられた。

ドレクスラーはそのキャリアを通じて初めて、自分が先導していたと信じていた革命の蚊帳の外にいるのを感じた。そしてまもなく追い打ちをかけるようにまた別の論争に巻き込まれたのだが、今度は個人的に受けたダメージのほうが大きかったかもしれない。その相手はエンタメ業界でもなければ、テクノロジーに対して市民の抱くイメージでもなく、ナノサイエンスを切り開いた同業者のひとり、ナノテクは文明にとって「クリスマスのお願い事リスト」だという言葉を残したあの人物で、争点は分子製造を理論的な観点から眺めたときの整合性だった。

ドレクスラーにとって残念なことに、今回の敵は彼が大きな敬意を抱いていた科学者だった。

リチャード・スモーリーは、習慣といい性分といい、ドレクスラーとは正反対だった。オハイオ州アクロン生まれのスモーリーがたどった学問の道は比較的平易で、とは言ってもやはり高学歴で、プリンストン大学で化学の博士号を取り、シカゴ大学でポスドクとして過ごしたのちにライス大学の職に就き、以降そこで研究者人生を送った。ドレクスラーのように大学院を出る前から書籍を刊行したりシンクタンクを創設したりする早熟な夢想家ではなかった彼は、長きにわたる緻密な研究に人知れず乗り出し、歴代の忠実な博士課程の学生やポスドクに囲まれながら、ヒューストンのライス大学にある自分の研究室で活動を続けていた。

彼の研究がまた優れていた。スモーリーは1996年、サッカーボールにも見える変わった球殻状の炭素分子、バックミンスターフラーレンの発見でノーベル化学賞を共同受賞している。バックミンスターフラーレンは、話によると、炭素星が形成されるときの周囲の大気条件をシミュレートしようとしていて偶然発見された。この成功を機に、彼の実験作業はナノ構造形成時の興味深い化学へと深入りしていった。スモーリーはそのキャリアの大半において、勤勉で、内向的で、世間とは距離を置いていた。市民の前にしばしば顔を見せ出したのは、その名声が広く知られるところとなってからだ。最晩年の10年ほどはノーベル賞受賞者という知名度を活かして、再生可能エネルギーの生産、浄水の供給、世界の公衆衛生など、今の世界で最も差し迫っていると自身が見ていた課題について発信するようになった。だが、ドレクスラーとの論争の話題は科学の根幹に関わる内容だった。

スモーリーの考えるところ、分子製造やナノボット機構についてのドレクスラーの見方には、実世界における原子や分子の働きへの無理解が表れていた。スモーリーに言わせれば、レゴのブロックなら、設計に沿って思いどおりに、物理的にどこへでも動かしてはめ合わせられるが、原子や分子ではそうはいかない。化学結合の性質による制約を受けるのだ。ナノサイエンスは機械工学ではなく化学であり、ドレクスラーはみずからの説くところを理解していないというのだった。

ドレクスラーは、駆け出しだったMIT時代にも自身の研究に同じような疑念を抱かれており、その発想からは「化学をすっかりなめている」ことがうかがわれると教授のひとりからあざ笑われていた。だが彼はその教授のほうが間違っていると考え、原子を物理的に操作するというみずからのビジョンに向かって邁進した。ドレクスラーのMIT時代の教授が打ち切った議論を今度はスモーリーが引き取り、ナノとは無関係にも聞こえる問題を引き合いに出して分子製造というアイデアに異議を唱えた。スモーリーはそれらを「べたつく指」の問題と「太い指」の問題と呼んだ。

「べたつく指」の問題とは、ナノ機構が動かそうとする原子や分子は、配置に用いられる機構デバイスが何であれ、それとくっついてしまうという懸念だった。なぜそうなるかというと、ナノスケールにおいてほかと結合していない原子は、ファンデルワールス力と呼ばれる力で互いに引き寄せられるからだ。原子を正確に配置することが難しいとされるのは、配置に用いられているツールが原子を手放すのに苦労することが予想されるからなのである。ファインマンも1959年の講演でまさにこの問題を予見しており、「手が糖蜜でべたべたになった男が出てくる古い映画のようになるだろう」と述べている。

「太い指」の問題とは、機構デバイスで原子を実際に動かす段になっても、ファインマンの講演タイトルとは裏腹に、およそ化学反応で飛び交うとされる数の原子を制御するための余地が実は底に足りていないことである。反応に関わるのは単独ではなくまとまった数の原子であり、どれほど簡単な操作を制御するにも「指」が何十本と必要になる。スモーリーはドレクスラーに対し、そしてファインマンによってなされた主張に対して暗に、ナノスケールにはそれだけの数の太い指を使える余地がとにかく足りないと異議を唱えたのだった。

スモーリーに言わせれば、原子を目的の位置へ物理的に動かすというのは誤ったビジョンだった。化学とは愛のようなもの。立体的な動きが絡み、引き合う力と化学結合とがうまい具合に混ざり合った、ある種の複雑な「ダンス」が必要であり、外部から機構デバイスを使って図面どおりに強制できるものではない。「指では化学は営めない」とスモーリーはたしなめた。

ドレクスラーは苛立たしげにこう反論した。べたつく指は原子にとって、そしてドーナツを食べている研究者にとっては問題となるかもしれないが、分子を動かすうえでは問題にならず、そのことは生命現象が日々私たちに証明している。実際、生命現象こそがあの概念全体の証明であり、自分はそもそも生命現象に触発されて分子製造の道を歩むことにしたのだ。

２人の論争は一連の記事や公開書簡を通じて熱を帯びていった。スモーリーは、ドレクスラーは化学を理解していないと露骨に非難し、対するドレクスラーは、スモーリーは明らかに生命現象を理解していないと応じた。スモーリーは、分子製造が実現しうることの証明が生命現象だというなら、未来のあらゆるナノ製造には水が必須媒体となると、言い換えると分子製造は「ウェット」でしか実現できないことになると指摘した。ドレクスラーは、スモーリーは「提唱内容を的確に把握できていない」し、「市民を混乱させている」と返した。非難が個人攻撃に転じたのを感じたスモーリーは、ドレクスラーは「子供たちを怖がらせている」と言って、グローバルエコファジーにまつわるドレクスラーの失態を暗に持ち出した。辛辣になるばかりの論争に、分子ナノテクノロジーを巡る科学的な楽観主義がますます失われていった。[4]

この公の口論が始まった直後から数年、端で見ていたナノテクコミュニティの多くがその論調やエゴにげんなりしていた。彼らの言い分はこうだ。あのうっとうしい騒ぎは、現実のナノテクノロジー研究とはあまり関係ない。ナノテクノロジーの用途の大半がこれまで頼ってきたのは、製造されたナノ材料の革新的な使用であって、未来じみたナノボットの製造ではなく、分子製造というきわめて思弁的なビジョンは実りなき余興としか思えない。分子サイズのマシンが正確な外科処置や注文されたものの製作を行うという発想が存在しているのはドレクスラーの夢のなかだけであり、ナノカーが微小なピザを配達して回るというレベルの他愛のないアイデアに留まっている。科学にとって貴重な時間と資源と信用を、なぜそうした物事に関する論争で無駄にする？

ナノテク研究をどんどん進めたい真剣な科学者たちの立場に立てば、このいらだちはもっともなのだが、ナノテクノロジーの体現する自然界への介入を理解したいなら、ドレクスラー／スモーリー論争を無意味だと片づけてしまうことは、きわめて重要な意味合いを持つ事柄を無視することになる。あの論争は欠点こそあれ、合成の時代における営みとしてのナノテクノロジーについて、その最も重要な意味合いをひとつ浮き彫りにした。スモーリーはドレクスラーが化学を理解していないと、ドレクスラーはスモーリーが生命現象を理解していないと考えていた。だが、自然界では、生命現象も化学反応もナノスケールではそれぞれの本質的な挙動を示す。この論争は、勝ち負けをどう判断されようとも、ナノテクノロジーに携わる者が本当にやっていることについて大事な真実を明らかにしている。すなわち、ホモ・ファベルは身の回りの世界をより効果的に活かせるようにと、古くからの見取り図を物理学、化学、生物学を通じて受け継いできたわけだが、原子や分子のレベルで材料やデバイスを工学的に扱うことは、その見取り図の意図的な修正を試みることに当たるのだ。

ナノテクノロジーに携わる者は、自然法則を書き換える力を得たとは主張しないだろうが、驚きの新たな地平を切り開くような形で、法則ぎりぎりの辺りにおける作業の進め方を会得しつつあることは間違いない。ナノテクノロジーの支持者の言うことを信じるなら、生化学プロセスを手なずけ、それを地球史上かつて経験のない方向へ行かせることができる。まったく新しい可能性の数々が開けているのだ。そうした可能性は生物学２・０や次世代化学、あるいは合成物理学とでも呼べそうだ。そのどれにおいても、研究者はこれまで人類に手の出なかった領域を探求している。

ドレクスラーによるグレイグーの譬《たと》え話からよくわかるとおり、この領域を扱い、そこに見られる古くからのパターンに余計な手出しをすることに対しては、慎重になるべき理由がある。自分たちがつくり上げる世界を完全にコントロールしようという試みは、そもそも完全にはわずかながら至らない。予期せぬ物事が起こるものなのだ。マクロスケールの場合でも、素材は疲労し、予想もしない化学反応が起こり、出来事が思わぬつながりをつくっていく。社会の不確実性もえてして関わってくる。

元米国国務長官ドナルド・ラムズフェルドは、「未知の未知」の隠れた危険性を警告したことで知られている。ナノテクノロジーに携わる者は忘れずにいたほうがよさそうだ。未知の未知はどうしてもなくならないことを。徹底した根絶をどれだけ試みようとも。ナノという馴染みのない領域ではとりわけそう言える。

アメリカのラストベルト出身の技術哲学者スティーヴン・ヴォーゲルは、この世界にそうした特徴があることを把握しており、物理世界で何をつくるにしても、予測可能性がいくらか失われるのを受け入れることが必要だと指摘する。装置や構造物をつくってアイデアを現実のものとした途端、できあがったものの挙動に対するコントロールをごく一部手放したことになるのだ。

これは人工物の基本的な真実である。物理世界は予測を不可能にする因子であふれており、それらはつくったものに焼き込まれる。どれほど出来のいい人工物にも、野性的な面がいつまでもごくわずかに残り、あとあと私たちにまとわりついてきかねない。橋の鉄筋で進む腐食、飛行機の油圧系に生じる急なひび割れ、コンピューターネットワークに潜んでいる未発見の不具合。ものは決して100パーセント安定ではない。比較的おとなしい人工物でそうなのだから、自由に動き回って自己複製する人工物ともなれば、元からある野性的な面が懸念として急速に膨らんでくる。グレイグーはこの真実をはっきり思い出させてくれる。

ヴォーゲルの警告と相通じる懸念を挙げる研究者はほかにもいて、特定のテクノロジーによる影響について考察してきた。たとえば、キーコック・リーというイギリスの教授が『自然と人工(*The Natural and the Artefactual*)』と題した本を著している。この著作は発刊当時(1999年)、狭い哲学界以外ではたいして注目を集めなかったのだが、同書では合成の色を濃くするばかりの時代に突入するに当たって心に留めおく価値のある大事なことが指摘されている。

リーが警戒感を表明した対象はナノテクノロジーのような「ディープテクノロジー」、すなわち、ものの本質にまで触手を延ばして人類の目的に沿うよう再構成するテクノロジーである。リーが問題視したことのひとつは、ナノテクノロジーが人類の健康や幸福にとってのリスクとなる可能性だ。人体はナノテクによる物質にはとにかく慣れておらず、環境もしかりである。彼女はまた、ヴォーゲルの主張を予感させるかのように、ディープテクノロジーの産物による挙動を何もかも予想することはできないだろうと考えた。ナノテクノロジーやバイオテクノロジーをはじめとするディープテクノロジーは、リーに言わせれば、私たちを世界の構造の奥深くまで連れていくからこその本質的なリスクを抱えているのだ。

だが、大きなシフトのはらむ危険性に関する懸念はまだあり、リーはそれを価値観や意味合いに絡んでも抱いている。彼女はナノテクノロジーを「自然に取って代わる」ものと見ている。自然からもたらされたものと引き換えに、みずからの要請にもっと的確に応えると判断したものを手に入れる、という意味においてだ。リーの考えでは、この行為には倫理的な側面がある。ナノテクノロジーは、私たちが頼るようになったもの、ことによるとしぶしぶそれで我慢するようになったものを、すっかり人工的な何かに置き換える。この行為は根源的な操作として、私たちと世界の両方を貧弱にする。私たちは、存在する事物の重要な側面を一部、自然から人工へと移し換えてきた。そんなふうに彼女は見ているのである。

二重の人工物

自然がナノテクノロジーによる「置き換え」の対象になっていることへのリーの懸念は、額面どおりに受け取るならやや大げさな恐れかもしれない。グレイグーがあっという間に広がっていくということにはならず、生命感あふれる〝自然な〟自然は常に少なからずもたらされるだろう。シダや滝、カブトムシにツバメ、マウンテンライオンやタコは世界から失われないだろうし、これらはどれも、この世界を生命感あふれるいっそう興味深い場所にし続けるだろう。ナノテクノロジーに携わる者がどのような装置を思い描こうとも。

とはいえ、ディープテクノロジーに倫理上の側面があることに絡むリーの懸念は、哲学的に重要な事柄を捉えている。物質を本当にそれほど根源的なレベルで再構築できるなら、ホモ・ファベルはかつての状態から乖離するばかりの世界をつくり出せるようになる。ナノスケールで開発された技術を用いることで、自然の性質そのものによる枠の制約は緩むだろう。物質はますます原子のレベルから再構築されるようになり、物質世界は人類にとってより好都合になるだろう。これは何を意味するのか？　私たちは飽くなき欲望が膨らんでいくにつれてさまざまな人工物を際限なくつくるものであり、実際、この世界はそうしたものでますますあふれていくだろう。だがそれだけに留まらず、材料まで天然ではなくすっかり人工という新たな類いのものや物質が増え続け、この世界はそれらであふれることになるだろう。

これは大勢の耳にホモ・ファベルの夢物語のように聞こえる。材料が地球から与えられるものに限られなくなった人類は、その要求にいっそう効果的に応えられる世界をつくり上げるべく、独自の材料を設計できるようになるのだ。かつて物理的に不可能と考えられていた機械や物質構造が、日々の暮らしの一部となるかもしれない。そうなれば、人類は自然の枠を大胆にはみ出して考えられるようになる。

だがその過程で、「私たちを包み込む世界とそれによって課される制約」という私たちの感覚について、基本的な何かが変わりだす。かつて人工物とは、木材、鉱石、金属、おなじみの各種元素など、自然界から引っぱり出された限られた範囲の既存の材料でつくられたものと理解されていた。こうした材料は私たちを、それらが立てた「この先入るべからず！」の標識のところまでしか連れていってくれなかった。

ナノテクノロジーの時代には、この制約が変わる。原子や分子のレベルでものづくりができるようになれば、「自然とは制約付きの土台であり、人類はその上で設計を実現する」という捉え方そのものが見直される。人工物は、あらかじめ意図的につくられた材料を使って意図的につくられたものになる。つまり、最終成果物もそれをつくるのに用いられる材料も人工という、二重の人工物となるのである。私たちが暮らすことになるのは、ディープなまでにつくり直された世界、私たちに制約を課す力が取り除かれるばかりの世界だ。こうして爆発的に高まる可能性には、大いにわくわくさせられると同時にやや戸惑いも覚えさせられる。

こうした制約が突破されれば、何か新しいものが生まれるのは確実だろうし、それらには追求する価値があるかもしれない。ドレクスラーが請け合ったように、「根源的な豊かさ」の未来を見据えられる状況になりそうだ。この未来には、慎重に探るだけの価値がある。ただし、未知の領域に足を踏み入れることにもなるのをしっかり意識する必要もある。

　ナノテクノロジーには、最高のＳＦがとうとう現実になったと言える段階に達する可能性がある。それを機に、物質による制約が超えられ、創造力の可能性が広がり、数多くの新たな商機が生まれるかもしれない。あるいは、ナノテクノロジーの発展たるや、私たちの進化の場だったなじみ深い世界がすっかり異質になる、そんな環境再編を始められるレベルに達するかもしれない。ナノテクノロジーには、希望を抱く理由も恐怖を感じる理由もある。

　60年近く前にリチャード・ファインマンによって初めて言葉にされた夢は、私たちがつくろうとしている新たな世界へ通じる数多くの入口のひとつにすぎない。合成の時代ならではの世界のつくり変え方が数あるなかで、ナノテクノロジーはその一番手だ。ナノテクノロジーの主な焦点は自然の非生体的側面だが、自然界の生体的な要素に焦点を当てているテクノロジーもある。ナノスケールで作業できるようになったなら、必然的にＤＮＡスケールで作業できることになる。それを思うと、未来を夢見るまた違ったタイプの研究者がいて、生物界を突き動かしている遺伝因子に手を加えられるような興味深い方法を見つけようとしていても不思議はない。

第3章 DNAオンデマンド

20年ほど前の、新たな千年紀に入ってまだ半年ほどの頃、ヒトゲノムの地図ができたという知らせに世界中が祝賀ムードに包まれた。米国大統領ビル・クリントンと英国首相トニー・ブレアによる共同記者会見で、ヒトＤＮＡの美しいらせん階段全段のドラフト配列が官民の協力で完成したことが発表された。

ヒトゲノム計画は予定より早く予算内に完了したのだが、それはこの政府支援プロジェクトにあとから参加したある私企業のおかげだった。自由市場主義者たちはその私企業、セレラ・ジェノミクスが、肝心の配列の読み取りに効率の良い技術を持ち込んだことを喜んでいた。クリントン大統領はトレードマークの笑みを浮かべながら、ゲノムマップを歴史上の優れた領土地図と比べて、「疑いの余地なく、これは人類がこれまでつくってきたなかで最も重要で最も驚異的な地図」と高らかに宣言した。また、この深遠なる発見をもって、「私たちは神が命《いのち》をつくりし折に使った言語を学びつつある」とも述べた。

これは文句なしに寿ぐべき成果であり、想像を絶する忍耐と優れた技量のうかがえる業績だ。ヒトゲノムには2万４０００ほどの遺伝子が含まれている。それらを構成しているのが30億をやや上回る数の核酸塩基（アデニン、シトシン、グアニン、チミン）の対で、この対が有名なＤＮＡのはしごの各段をなしている。ゲノムの地図をつくるには、塩基対をひとつひとつ特定したうえで、長いらせんをなすゲノムにおけるその正しい位置を定めなければならなかった。

そのうえ、核酸塩基の読み取りを始める前に、ＤＮＡの小さな断片を、コピー機のような働きをする細菌の細胞に移植し、各断片のコピーをいくつもつくる必要があった。読み取られる文字の並びに科学者が自信を持てるようになったのは、このコピー技術のおかげだ。最高の条件が整っていても、遺伝子の配列は短い長さの単位でしか解釈できないことから、重複のある複数の配列の並びを特定しては、互いを比べる必要があった。各断片が確定されたら、できた目録をもとにつなぎ合わせに取りかかって、ゲノム全体の再現を目指せるようになる。30億塩基対の配列全体ともなると、再三にわたる検証作業が必要だった。

10年近い奮闘の末、18カ国を超える国の何千という遺伝学者による作業が完了し、祝賀の準備が整った。信頼性の高いゲノムドラフトが公開され、おかげで政治家が笑顔で歩き回り、誰彼かまわず肩をたたいて他人の栄光に浸れたのだった。[1]

この達成はなにしろ歴史的だった。談話に美辞麗句を連ねたのは政治家だけではない。生物学の教科書を書き換える単なる新事実どころではないことを、科学者が珍しく詩的な言い回しを選んで語ったほどだ。同計画の代表だったフランシス・コリンズは、今回の解読をこの世界に向けられた計り知れない価値を持つレンズに譬え、過去を覗けばゲノムは「私たちという種について時を超えた旅の物語」を語り、未来を覗けばこの新たな知識からやがて「世界を変えるような医学の教科書が生まれ、その知見をもとに病気の治療、予防、回復に役立つ新しい大きな力が医療関係者にもたらされるだろう」と述べた。ブレア首相はこの達成を巡る熱狂に乗って、今回の発見は医療の新たな世代の始まりであるばかりか、人類という存在にとっての「未知の領域」と「新時代」の十字路でもあると述べている。ヒトの生命が蒸留され、生化学のエキスに凝縮された。ヒトの遺伝子構成は判読可能な文字列になり、まったく新たな次元の調査や分析の対象となった。

もっと過激な目標

ヒトゲノムの解読が医療や診断のあらゆる処置に進歩の可能性をもたらすことは間違いないのだが、プロジェクト完了後の年月で複雑な事情がいろいろと明らかになって、当初の熱狂が一部そがれてきている。特定の遺伝子を特定の病気や挙動に対応づけるという作業は、「神経衰弱」ゲームでカードを合わせるような簡単な話ではない。私たちがどのような個体になるかを定めるうえで遺伝子の果たす役割は、複雑さや偶然に幾重にも取り巻かれているのだ。

まず、ヒトゲノム計画では細胞核内のＤＮＡを解読したわけだが、実際には核外である細胞質内にもＤＮＡがあって、ヒトの成長に大きな影響を及ぼしている。ミトコンドリアＤＮＡと呼ばれているこちらは、ヒトゲノム計画の対象にはまったくならなかった。

それに、遺伝子だけでは話が済まない。昔から察知されていたことだが、各人の将来は遺伝子と環境（氏と育ち）の組み合わせにも影響される。遺伝子には遺伝子にできることしかできない。各遺伝子をいつどのような条件でオンとオフのどちらにするのかには、環境という、各人の育てられた場、今の人生を生きている場が強く影響している。

最近明らかになったところによれば、育ちの影響の及ぶ先は今育てられている個人だけではない。遺伝子は各人の人生のさまざまな時期に数々の要因に応じてオンになるのだが、どうやら今の出来事がのちの世代でも遺伝子をオンやオフにしうるらしい。詳細な記録の残るスウェーデンのある孤立集団を対象に行われた調査によると、親が耐えていたストレス、たとえば時折起こった不作による食糧不足に起因するストレスによって、のちの世代でＤＮＡの発現が変わりうることが明らかになっている。言い換えれば、ＤＮＡは環境から「心的外傷《トラウマ》を受けた」状態でいられ、その影響はあいだに1〜2世代挟まないと感じられないらしいのだ。同様の事例を、アメリカの科学者らがホロコースト生存者の子孫に見いだしている。この「遺伝する心的外傷」の意味するところは、ストレスを実際に経験した世代にこれといった異変が起こらなかったとしても、孫の世代が糖尿病や心臓疾患に普通よりかかりやすくなりうるということだ。ラマルクの進化論の影が遠くにちらついてきそうな話だが、個人は生涯に経験した何かによる影響を、どうやらのちの世代にゲノムを通じて伝えられるようなのである。

また別の予想外の要因として、私たちの体に棲まう百兆単位の単細胞生物が健康や病気に及ぼす影響がある。口に、腸の中に、さらには足の指の爪にまでも、人体には生涯にわたって単純な形態の生物が大量にヒッチハイクしており、たいてい健康に貢献しているのだが、私たちをダウンさせるときもある。遺伝子の量の面で、私たちはヒトと言うより微生物であり、こうした微生物が持つ遺伝物質の総量は、私たちの体細胞に含まれる総量の１００倍ほどにも達する。微生物は体臭、気分、振る舞いを左右し、誰と一緒にいるか、そしておそらくは誰を配偶者に選ぶかにまで影響を与える。人生の各段階で適切な組み合わせの微生物と道連れになっていないと、一人前になれないのである。この「マイクロバイオーム」の多大な影響を理由に、今ではヒトにおける自然選択の対象はヒトゲノムそのものではなく、むしろ人間という生態システム全体だと考えられている。医学には遺伝学ばかりか生態学の側面もあるのかもしれない。

ゲノムそのもの以外の要因に応じて細胞が遺伝子の読み方をどう変えうるのかを調べようと、エピジェネティクスと呼ばれる分野が生まれて発展を続けている。詩人でナチュラリストのダイアン・アッカーマンに言わせると、「エピジェネティクスとは遺伝子というスーツの二本目のスラックス」なのだが、はっきり言ってこのスラックスは特大だ。ヒトゲノムには遺伝子がわずか2万4000しかないのに対し、エピゲノム〔ゲノムに加えられた修飾〕にはヒトの成長を左右する要素が桁違いの数だけ存在する。ゲノムそのものはカードを数枚握っているに過ぎない。結局、遺伝子配列を特定しただけでは話を完結できる可能性がないのだ。人間がヒトゲノム計画によって化学的な見取り図に成り下がり、生命の謎や詩情が失われる危機に陥った——悟りきったような外野がかつてそう嘆いていたものだが、何が積み重なって私たちたらしめているのかという事情の複雑さを、彼らは途方もなく過小評価していたのだった。

ヒトゲノム計画は人体の謎を一発で解明したわけではないが、世界を変えうるまた別の研究に大きく貢献した。この研究はゆくゆく、既存のゲノムのどのような地図作製よりも、合成の時代の形成に関わってくるだろう。ヒトゲノム計画のあいだに洗練さの度合いを増した遺伝子読み取り技術が急速な進歩を続け、また別の、だが重要な扉を開き始めた。それは、商機を見据える野心的な者たちがかねてから絶えずノックしていた扉だった。

ヒトゲノム解読を米英政府と協力して取り組んだ私企業、セレラ・ジェノミクスが、ヒトの遺伝子と健康や挙動との関係にとりたてて注目したことはない。同社はこの関係にはほとんど惹かれていなかった。ほかの誰もが遺伝学を研究する主な動機と考えていた事柄が、同社にとってはちょっとした余興だったのである。ホワイトハウスでの祝賀式典でクリントン大統領と列座していた、同社のきわめて野心的な創業者は、その胸にもっと過激な目標を抱いていた。

ミニマルゲノム・プロジェクト

Ｊ・クレイグ・ヴェンターは、大酒飲みでヘビースモーカーだったモルモン教徒の父親のもと、ユタ州ソルトレイクシティで生まれた。クレイグがまだ幼かった頃、父親がモルモン教会から破門された。この恥辱から逃れるため、一家はユタ州からサンフランシスコ郊外の労働者階級地区に引っ越したのだが、クレイグ少年は西海岸から可能性の大きな広がりを差し出されて、心を解き放たれた思いをしたようだ。山岳部の乾燥した盆地を離れて喜んでいたクレイグは、カリフォルニアでさっそく海を愛するようになり、その愛は生涯続くこととなった。

一方、学業には身が入らなかった。技術の授業は好きだったものの、ヴェンターは目立って優秀な生徒だったわけではなく、高校はぱっとしない成績ばかりでなんとか卒業した。彼は海辺で過ごすことをこよなく愛し、ビーチで何時間でもサーフボードに乗ったり泳いだりしていた。高校時代の誰も、彼が大物になるとは思っていなかった。

青年期のヴェンターは徴兵されて海軍の衛生部に所属したのち、ベトナム戦争に派遣された。当地では野戦病院で働き、致命傷を負った兵士たちの治療を手伝った。この従軍中、テト攻勢による惨状を目の当たりにしている。ベトナムにおける暗い経験が、ヴェンターの将来を大きく左右した。従軍中のとりわけ気分の沈んでいた時期には、自殺寸前まで行ったこともある。戻るつもりなしで、できるだけ遠くまで泳ごうとしたのだ。だが、岸から２キロ近く離れたところで1匹のサメにまとわりつかれたとき、考えを改めて必死に泳いで戻った。そして、あの戦争を生き延びて祖国へ戻ることを決意した。ベトナムでは戦場で負傷兵が不適切な治療を受けていた実情を見ていたことから、帰国すると医学を学び、あの状況を改善するという目標に邁進した。

帰国して大学に入学したヴェンターはすぐさま、自分の興味は医学よりも生化学や生理学にあると気がついた。高校で技術の授業が好きだったのは、根っからの機械工であり修理屋でもあったからだった。起業への意欲もこの時期に膨らんだ。

ヴェンターは情熱の完璧な注ぎ先を遺伝学の研究に見いだした。博士号の取得後、バッファローで大学の研究職に就いたのち、国立衛生研究所（ＮＩＨ）へ移って、8年間の在籍中に個々の遺伝子とその機能を特定する新たな技術を開発した。１９９２年にはＮＩＨを辞めて非営利の私的研究機関であるゲノム研究所（ＴＩＧＲ《タイガー》）を設立し、ゲノムの解読と解釈という作業を続けたが、この頃には自分がそれを非常に得意としていることを認識していた。ＴＩＧＲでは、ＤＮＡの配列決定に用いられる「ショットガン」法と呼ばれる技術の改良に貢献した。ゲノムを繰り返しばらしておびただしい数の短い断片をつくり、その配列を決定すれば、コンピューターを導入して何千という読み取りデータをつなぎ合わせて、長い並びにおける位置を特定できることに思い至ったのだった。膨大な計算処理資源を用意することで、ＴＩＧＲはほどなくゲノム配列を世界一効率良く解読できるようになった。

官製プロジェクトによるヒトゲノム配列決定のペースが遅いことを知って思案を巡らせたヴェンターは、１９９８年、遺伝子地図をつくる新企業セレラ・ジェノミクスの社長兼最高科学責任者の座に就いた。動機のひとつは、ショットガン法をヒトゲノムに使えるようにすることだった。ヒトゲノムの配列決定に官製プロジェクトが10年を予定していたところを、彼はこの技術を使えば3年で終わると見積もった。同社は一時期、最終成果から利益を上げるつもりでいたが、ヒトゲノムの配列は公共財であって一企業による金儲けのために独占されるべきではない、という感情が科学者や市民のあいだで高まるのを感じ取った。

セレラ・ジェノミクスは配列決定に関する目標を達成し、ヴェンターは官製プロジェクトの面目を潰さないよう、２０００年にホワイトハウスで行われた式典のひな壇ではヒトゲノム計画の責任者だったフランシス・コリンズと並んだ。そして、ヒトゲノムに関する自分の仕事は終わったとばかりに軸足を移し、セレラ・ジェノミクスを唐突に辞めて、つきあいの長いＴＩＧＲの研究協力者のもとへと戻った。そして、世界一のゲノム解読者である彼はその照準をただちに、彼にとってこれまでずっとはるかに重要な目標に思えていたことに合わせ直した。

１９９０年代後半にゲノムの配列決定が始まった頃のＴＩＧＲは、〈ヒト・動物の宿主を必要としない〉完全な自由生活性の生物であるインフルエンザ菌の全ゲノム解読に初めて成功していた。同社はその後間もなく、既知の最小規模ゲノムに数えられているマイコプラズマ・ジェニタリウムのゲノムの解読に成功した。マイコプラズマ・ジェニタリウムは、ヒトの尿路に棲み、性感染病の拡散に手を貸す細菌である。この解読後、TIGRの研究者たちは手を念入りに洗ってほかの微小ゲノムに取りかかり、その後数年で50以上の微小ゲノムの配列を決定した。

ヴェンターはこうした小規模ゲノムの解読を「ミニマルゲノム・プロジェクト」と呼んだ。当初、微生物に力を注ぐことは戸惑いを持って受け止められた。複雑さも潜在的な見返りもはるかに大きい生き物がほかにいくらでもいるのに、なぜ一私企業がたいそうな資金と時間をそうした単純な生き物につぎ込むのか？　ほとんどの研究グループが、技術の向上に合わせて解読の対象を細菌から鞍替えし、カエル、ネズミ、チンパンジーへと、徐々に高等な生物に乗り換えていた。医療への貢献度をふまえると、ヒトゲノムに似たゲノムの地図づくりこそ、誰もが大儲けを予想する分野だった。だが、TIGRのヴェンターチームは関心を抱かなかった。

その理由はまさに変成新世らしいビジネス戦略として説明できる。ヴェンターの目標にはゲノムの解読だけではなく、構築も含まれていたのだ。

合成生物学の倫理

合成生物学は、ちょうどヒトゲノム計画が始まった頃に姿を現し出した分野である。その根底にあるのが「生物学はもっと工学のようになるべき」という発想だ。具体的には、生物デバイスを精巧かつ確実に設計、構築、操作、複製する方法を会得しようというのである。ゲノムとは突き詰めれば、リン、炭素、酸素、水素、窒素の原子が特定の配置に並んだ、とても興味深い一化学構造体にすぎない。ゲノムの化学的な構成と各部の役割を把握できれば、それをばらしたり、あらためて組み上げたり、興味深い箇所を一部入れ替えたりできる。それなりの忍耐力と野心があれば、遺伝子の新たな組み合わせを実現できる。つまり、合成生物学の肝は、ゲノムを受注生産できるよう技術を拡張したり深化させたりすることとなる。旗を振るのが進化ではなく人類だという、DIY版の生物学を目論んでいるのだ。

個々の遺伝子を生物から生物へと移して望ましい形質をつくることの価値なら、農業バイオテクノロジーという分野が実証済みだ。では、特異な遺伝子の1つや2つを別の種に移すという域を超えて、遺伝子配列を入れ換えたり強化された配列を組み上げたりできるとしたら？人類にとって価値のある何かを産生する形質どころか、ひょっとすると生体システムをまるごとつくれるかもしれない。

たとえば、ある生物で特定の化学物質の産生をつかさどっている遺伝子をすべて特定し、それをもっと使いやすい別の生物に移し代えて、バイオ工場に相当するものをつくれるとしたらどうだろう？　その化学物質を別な何かに変換する必要があるなら、また別の生き物から取った適切な遺伝子を加えて、新手のバイオ生産ユニットをつくれるかもしれない。合成生物学者は、自然界でかつて見られたことのないような、複雑だが有用な遺伝子配列を組み上げられるようになるだろう。

ヴェンターの思惑はさらに野心的なほうへと流れ、生物そのものをつくることへと向かった。ヴェンターはこう考えた。遺伝子は比較的単純な化学物質でできているので、生を営めるDNA鎖を組み上げられるのが自然だけという理由はない。人類にもできるはずだ。合成生物学を用いれば、有用なゲノム断片を組み上げられるどころか、ゲノムをまるごと合成できるかもしれない。合成生物学の技術を用いると、生物を自然がつくるのを待たずともまるごと設計して実験室でつくれるではないか。

この大胆な可能性はたちまちヴェンターの第一の目標となった。2006年、彼はJ・クレイグ・ヴェンター研究所（JCVI）という統括組織を設立し、自身の増え続ける研究・商業上の関心事をひとつの傘下に収めた。このJCVIという枠内で、TIGR設立当初からの研究者の一部に、世界最先端の科学研究所に数えられるまでになった同所に惹かれてやってきた、この分野をリードする研究者が加わって、生を営めるゲノムを材料物質でゼロからつくり上げる作業が始まった。

ヴェンターは、生物のゲノム一式を材料物質からつくれることを示せたら、それは人類にとって途方もない偉業となることを承知していた。哲学的に言えば、人類は次元のまったく違う営みに手を出すことになる。生物のゲノムなど、ホモ・ファベルはこれまでつくったことがない。達成されれば、科学者は神の言葉を知りつつあるというビル・クリントンの見通しが1歩進んだことになる。人類が神の言葉を読めるばかりかペンを取り上げて書けることも証明するのだから。

ただし、ヴェンターの考えていた〝書く〟は複製だけではなかった。人類がゲノムをうまく組み上げられるようになれば、自然がたまたまつくり上げたどこぞの生物のゲノムを複製するだけで満足する必要はなくなる。もっと興味深くて、もっと有用で、もしかすると――ヴェンターの起業家精神はここでうずくのだが――もっと利益を生むような新しいゲノムを白紙の状態から設計できるようになる。有用な機能を実現する非生体機械をつくるのではなく、同じような目的で生物をつくれるようになるのだ。人類に仕えるためだけに、自然界でかつて見られたことのない生き物をつくれるのである。ややフランケンシュタインじみているものの、実現したなら特筆すべき達成だ。

ヴェンターのこの夢には、ナノテクノロジーにおける分子製造の夢との重なりが感じられる。その重なりは現実的だ。ＤＮＡのはしご段は差し渡し約２ナノメートルなので、ＤＮＡ合成は定義に照らせばナノスケールの活動となる。先に見たとおり、分子製造はすでに生体のほうへと舵を切っている。ナノテクの分子製造で予期されているところとは違って、ＤＮＡの塩基配列の組み立てにロッドやラチェットは用いられないが、ナノサイズの塩基が正しい順序で並ぶよう、技術者が慎重を期す必要があることに変わりはない。リチャード・スモーリーがナノテクノロジーについて予言したとおり、作業はすべて水溶液中で行われる必要がある。言い換えると、この企てはウェットナノテクノロジーの一形態である。

合成生物学がナノテクノロジーで提唱されている分子製造と哲学的に違うところは、合成生物学で設計されることになる人工物が、単なる機械ではなく生身の生物であることだ。繁栄を極める生物は見事な構造体であり、燃料を自力で補給し、傷を治し、補助がなくても繁殖して次の世代を生み出す。生物は、進化的圧力を受け、効率と安定性に優れた精巧な機能を実現するよう形づくられてきた。そこへ、私たちの利益と重なるよう振る舞う生物を設計できたとしたら、人類はほぼ間違いなく、想像しうる最も効果的で最も手のかからない機械を自由に使えるようになるだろう。このことが実業家に楽園を約束したのだった。

遺伝子組み換え作物に対する市民の反応を見守ってきたヴェンターは、合成生物学が一部の市民に懸念を抱かせそうなことを認識していた。なにしろ、実験室で生命を創造しようという試みなのだ。人工微生物を何か有用な目的に投入できるようにするためには、予防措置の数々をあらかじめ講じておかなければならない。ヴェンターはエリック・ドレクスラーの失態を教訓に、人工微生物が暴走するという恐れを抱かれないようにする配慮が必要だとわかっていた。ナノテクノロジーの場合と同様、意図的に設計されたバイオボットが制御不能となって増殖する可能性はありそうだった――暴走するグーはグレイではなくグリーンだが。ヴェンターは、バイオボットが広大な環境へ逃げ出さないようにできることを保証する必要があったし、合成ゲノムによるヒトの健康へのリスクが最小限に留まることを、研究を通じて示す必要もあった。また、合成生命が悪の手に落ちる可能性から提起されるバイオセキュリティの問題も考慮しなければならなかった。

ヴェンターは出だしから、こうしたさまざまな倫理上の課題と真剣に向き合っていることをアピールしようとした。ＪＣＶＩに政策グループを設け、戦略国際問題研究所というシンクタンクやマサチューセッツ工科大学と協力して、人工生物が暴走することへの恐れから抱かれる倫理的な懸念について調査したのだ。彼らは各種の危険なシナリオに目を向け、危険性を最小限に抑えるために従うべき原則を打ち出した。倫理面は押さえている、とヴェンターは主張した。

「生きる機械」の創造

ヴェンターは新たな道を切り開くほうへと絶えず引き寄せられていたわけだが、この研究によっていずれ越えられる概念上の一線は驚異的としか言いようがない。彼の研究は生物学の範疇に入るとはいえ、その位置づけは生物学と哲学との境界線がぼやけだす辺りだ。ナノテクノロジーで物理学や化学の深みへ分け入ったように、人類は合成生物学で生体の基本機構をいくらか、自分たちの用途向けに取り込んでいくことだろう。生物界は、人類登場以前の35億年の生物史によってできた世界ではなくなり、人類がみずからのニーズを満たすべくその手で形づくったり設計したりした世界になる。

彼の研究によって、意味合いや価値に絡んで大きな疑問の影がいくつも浮かび上がった。合成生物学の未来を控え、生物と人工物との区別がぼやけ出している。普通は別物である２つのカテゴリー――生命と機械――が、かつてなかった形で混じり合うことになるからだ。人類の手による機械はこれまでどれも非生物だった。自己複製はしないし、自分の面倒を見ないし、概して外部に動力源を必要とするし、生体分子でできていることはあまりなく、普通は操作側が「スタート」ボタンを押さないと動作を始めない。ドレクスラーが見たグレイグーの悪夢とは無縁で、そうした機械が独自の命を持つという危険性はなかった。

　そんな状況がまさに変わろうとしていた。ヴェンターが成功を収めたなら、技術者によって設計された一部の機械は、生き延びてみずからを守る能力を持つ生きる機械ということになる。地球とその各種システムにとっては新たな未知の領域だ。人類と生物界とのあいだに新しい関係が生まれるだろう。人類は生命形態のつくり手となって、実質的に生体人工物となるものをいろいろつくり出すことになるのだ。

　どの話もドラマチックに聞こえる。過去の人類史の何もかもと袂をきっぱり分かち、前例のない合成的な未来をスタートさせるかのように見える。とはいえ、生体人工物とは本当に新しい発想なのか？　生物科学の動向を見守ってきた者の一部は、それは勝手知ったる領域の話だと言う。彼らに言わせれば、飼い慣らされたウシやヒツジがすでに、人類のニーズに沿うようつくられたある種の「生きる機械」であり、乳を搾れる、羊毛や牛バラ肉がとれるといった、人類にとって都合のいい能力を発揮するよう、周到な交配によってつくられてきたものだ。同じことは、大きな穂をもつ大麦やとうもろこしなどの植物にも言える。細工をされたこうした生物の多くは、自己増殖をするし、ある程度は自己保守をする。人類はすでに、栽培植物や家畜という形で、みずからのニーズに合わせて生物界をつくり込んで金儲けをしてきたようなものだ。既存の各種生物機械を見たければ農場へ出向けばいい。

この主張には一理ある。家畜のウシは文句なしに人類の意図的な設計によって形づくられた生物だ。それでもやはり、人工微生物と周到に交配された家畜とには概念上の大きな違いがある。デザイナー細菌が機械だと言っても、ウシやヒツジはそれと同じ意味での機械ではない。家畜は天然このうえない原料からつくられる——その親だ。ヒツジは野生の祖先と密接なつながりを保っており、生物としての長い歴史を持っているが、ゼロからつくられる細菌にはそれがすっかり欠けることになる。ウシは周到に交配されて、すでに有用なところへ付加価値が加えられている。人類は動物を家畜化することで、自然界がつくり上げてきた成果の一部を足がかりに、こちらを微調整し、あちらの形を整えて、既存の種がみずからのニーズにいっそう沿うようにしているのだ。

対照的に、人工微生物は人類の利益に沿うという明確な目的のもとでゼロからつくられる。単純に毛がふさふさの種と筋肉質の種とをかけ合わせるのではなく、人類の目的に最も合致するであろうゲノムを過不足なくつくり上げるのだ。この類いの操作は単なる形成ではない。創造だ。こうして合成される生物はとことん人工物であり、具体的な設計に基づいてつくられていることになる。さらに、この創造は衛生管理の整った実験室において、白衣の科学者によって、技術的に高度なツールを用いてなされ、鳴き声のうるさい家畜であふれ、厩肥の悪臭漂う、じめじめした農場においてなされるのではない。

合成生物学と、ゲノムをゼロから構築するという発想は、キーコック・リーが「ディープテクノロジー」と呼んだものの明快な一例のようだ。自然の仕組みの奥深くまで手を延ばして、「生命」という概念を劇的に変えることになるのだが、その変え方たるや、過去に登場した何とも際立って違う。ナノテクノロジーと同様、合成生物学は何らかの形の合成の時代に適した工学ツールなのだ。だが、ナノテクノロジーでの微調整の対象が自然の物理構造や化学構造なのに対し、合成生物学での対象は生命そのものだ。さらに、合成生物学ではナノテクノロジーにもまして重要な一線を越える。人類を影響力のいっそう強い新しいタイプの創造者に変えるのだ。私たちは身の回りの生物界を設計・構築して、みずからの手でつくったモンスターをはべらせるようになる。

そしてこれから見ていくように、ナノテクノロジーの分子製造とは違って、合成生物学はその目標に向けて大きな進歩をすでに遂げている

第4章 人工生物

合成生物学はこれまで段階的に進歩してきた。合成生物学者は生き物をまるごとゼロからつくろうとする前に、有用な遺伝子配列を持つ断片づくりに取り組んだ。完全合成の微生物への足がかりは、仕様に従って実験室でつくられたDNA部分の非常に多い微生物である。断片をうまくつくれたなら、それを宿主生物に挿入して価値ある働きをさせられる。なかでも今のところ最もよく知られているのが、アルテミシニンという抗マラリア剤の生産に欠かせない前駆体をつくれる、そんな生体システムの作成だ。

２０００年代の前半、カリフォルニアを本拠とするジェイ・キースリング率いるチームが、ヨモギの一種であるクソニンジンの持つ遺伝子素材を大量に導入して、酵母菌のDNAを意図的に改変した。クソニンジンは伝統的な植物療法で昔から用いられていたのだが、１９７０年代前半に中国の科学者によってその抗マラリア剤としての性質が詳しく研究された。クソニンジンからアルテミシニンを抽出するための効果的な臨床方法が発見されたのは、毛沢東による命令が直接のきっかけだった。アメリカ相手の戦争中にマラリアがベトナム兵に壊滅的な被害をもたらしたことから、マラリアを抑える方法を突き止めよとの命が毛沢東から下ったのである〔当時、中国は北ベトナムを支援していた〕。クソニンジンから抽出された薬剤は効いたのだが、つくるのに時間と費用のかかる状況が続いた。そのため、抗マラリア剤を実験室で人工的につくる方法の研究が長年続けられたのだった。

クソニンジンで抗マラリア物質の産生を担っている遺伝子一式を移植することで、キースリングと同僚らはアルテミシニンの前駆体をはるかに効率良く産生する酵母菌をつくることに成功した。これは遺伝子を用いた驚きの妙技である。遺伝子の導入された酵母菌の少なくとも一部分が、酵母菌が本来やることをしなくなり、クソニンジンの細胞がやることをするのだ。

キースリングの研究室で成功した類いの操作は、Bt綿の木〔後述〕やラウンドアップ・レディーの大豆〔除草剤「ラウンドアップ」への耐性を持つ〕の開発といった、従来の遺伝子改変（GM）で行われた何をもはるかに凌駕している。有用な抗マラリア物質を産生させるには、酵母の遺伝子をいくつかオンやオフにして、この新たな機能を細胞壁の内側で働かせることが必要だったほか、挿入されるクソニンジン遺伝子のほうにも、異なる宿主生物内で効果的に機能させるための微調整が必要だった。キースリングのチームがその技術を突き止めたことで、酵母菌は抗マラリア物質の生ける生産設備と化した。ビールやパンの発酵に一生を捧げるつもりでいた酵母菌が想像だにしなかった仕事だ。この類いの代謝工学では、基本的に別の生物の体内に生体工場をしつらえる。こうした手法を用いれば、ほかの有用な薬剤（人工の抗生物質やワクチン）も視野に入ってくる。

キースリングの手がけているような代謝工学プロジェクトの目標達成を後押ししているのが、有用な遺伝子パーツを扱う公開目録の制作だ。そこに掲載されるパーツは「バイオブリック（生体れんが）」の名で知られるようになってきた。バイオブリックはそれぞれ、決まった有用な働きをすることが知られている。国際的なバイオブリックレジストリ《登記簿》がマサチューセッツ工科大学によって管理されており、世界中の研究者が利用可能だ。有用な遺伝子配列が規格化された形式で多数用意されており、どれもオンラインで（アマゾンでの買い物のように）注文できる。バイオブリックレジストリは本質的に合成生物学のデジタル倉庫であり、開発中の生物機械用に何か必要になったら取り寄せられる。ただし、大方の商用倉庫とは違って、営利目的ではない。そして、完全にオープンソースだ。今その姿を現しつつある業界の発展を支援するためだけに創設されたものである。

バイオ産業機械の作業場

代謝工学は興味深いが、まだ道半ばと言える。ヴェンターのような研究者にとって、本来の目標はやはり完全合成のゲノムだ。キースリングが抗マラリア剤の精製プロセスに磨きをかけていた一方で、ヴェンターのチームは完全合成ゲノムの構築という彼らの目標に迫っていた。

ヒトゲノム計画の完了からわずか3年後、クライド・ハッチンソン、シンシア・ファーンコッチ、ハミルトン・スミスからなるヴェンター配下の研究グループが、ゲノムを読み取るだけから構築することへの移行に向けて、重要な第一歩を踏み出した。具体的には、「ファイX174」の名で知られるウイルスのゲノムを実験室の化学物質から合成したのだ。特筆すべき偉業ではあるが、ウイルスは生き残りに宿主を必要とすることから、自由生活性の生物とは見なされない。やらなければならない仕事がまだあった。

ウイルス合成から4年後の2007年、ヴェンターのチームはある細菌のゲノムを別の細菌のゲノムで置き換えたうえ、導入したゲノムに細胞の営みを引き継がせる手法を突き止めた。この細菌ゲノム移植は、その先の成果をうかがわせるまた別の重要な前段階だった。遺伝子合成と転座〔染色体内でDNAの配列が別の場所に移動すること〕について毎月のように知見を蓄えていくうち、2008年、チームは1990年代に解読に成功していた尿管の細菌、マイコプラズマ・ジェニタリウムの全ゲノムを合成した。

マイコプラズマ・ジェニタリウムのDNA鎖は、生物のなかでもかなり短いが、それでもなお化学構造としてはかなり大きく、そうした長いものをつくるには技術的障害をいくつも乗り越えなければならなかった。DNA鎖は長くなるほど脆くなるうえ、正しく並べなければならないヌクレオチドの数も58万２９７０対と膨大だった。つなぎ合わせるには、キースリングのチームが抗マラリア剤用に以前から使っていた付き合いやすい細菌、酵母菌の手を借りる必要があった。酵母菌は細菌のＤＮＡをたいそう快く受け入れる。

マイコプラズマ・ジェニタリウムのゲノム合成の発表をもって、合成生物学は新たな一線を越えた。初めて、独立した生物のゲノム全体が実験室において化学合成のみでつくられたのだ。細菌はウイルスとは違い、エネルギーをつくったり蓄えたりできる。宿主を要さず独立に繁殖することもできる。ついに自由生活性の生物のゲノムを実験室で、どのような天然プロセスにも頼らず複製できるようになったのだ。単純な生物に専念するという、ヴェンターがヒトゲノム計画の完了後に打って出た賭けは、吉と出始めたようだった。

特筆すべき達成だったものの、ＤＮＡ鎖だけではやはり生物ではない。人工生物をつくるというなら、合成したゲノムを扱いやすい宿主の体内に挿入して、ＤＮＡに含まれている命令が実際に生の営みに取りかかれるようにしなければならない。合成ではないゲノムを別の細菌細胞に挿入して機能させられることなら、２００７年に成功した細菌ゲノムの置き換えで実証済みだ。初となる本当の意味での合成細胞では、同じことを完全合成のゲノムでやってのける必要があった。

そのためにはマイコプラズマ・ジェニタリウムから、マイコプラズマ・マイコイデスというもっと大きな細菌に乗り換える必要がある。チームはそんな結論に至った。マイコイデスには、増殖が速いという利点があった。チームはマイコイデスのさらに長いゲノムの合成に成功し、残る難題は、合成された遺伝子を細菌宿主に移植して細胞を「起動」し、挿入されたDNAに生の営みを引き継がせることとなった。そのための宿主にはまた別種の細菌、マイコプラズマ・カプリコルムが選ばれた。

技術的な難しさは、プロセスの進むスピードが実に遅いことにあった。細菌の細胞外被は一般に守りがあまり堅くなく、放っておくと、細菌どうしのDNA交換がポーカーの手札よろしく起こってしまう。そこで、細菌はこの遺伝的乱交雑への対策として、外来のDNAを対象とする制限システムを内部にいろいろ備えて、不都合が生じるような遺伝子が組み込まれないようにしている。したがって、合成済みのマイコイデス遺伝子を宿主であるカプリコルムに挿入できるようにするには、そうした防御をかわす方法をあらかじめ見つけておく必要があった。また、移植中には長くて脆いゲノムが無傷の状態に保たれるよう腐心しなければならなかった。

10年に及ぶ研究と約4000万ドルの資金をかけた末に合成ゲノムの移植に初めて成功したことが、ヴェンターのグループによって2010年5月の『サイエンス』誌の論文で発表された。マイコプラズマ・マイコイデスを手本につくられた完全合成のゲノムがマイコプラズマ・カプリコルムに挿入され、合成されたマイコイデスゲノムがカプリコルム細胞の営みを引き継いだのだ。この新しい生物は同チームによって「マイコプラズマ・マイコイデス JCVI-s yn1.0」と名づけられ、ヴェンターから誇らしげに「世界初の合成細胞」と称された。この細胞はほぼ即座に増殖を始めた。

その子孫を天然のマイコイデスと簡単に区別できるようにするため、研究者らはゲノムの非活性部分に遺伝子版の透かしをいくつか仕込んでおいた。たとえば、遊び心ある文言として、この新しい生物に関するウェブアドレス、ジェイムス・ジョイスの引用「to live, to err, to fall, to triumph, to recreate life out of life（「生きるのだ、躓いて、堕ちて、打ち勝って、生から生を創造し直すのだ」）〔『若い芸術家の肖像』大澤正佳訳・岩波文庫より〕、ナノテクのパイオニアであるリチャード・ファインマンの「What I cannot create, I do not understand（自分でつくれないものを、私は理解していない）」をやや変えた言葉などを表す塩基配列が仕込まれている。メディアはすぐさまこの新しい生物を「Synthia（シンシア）」〔女性名Cynthia（シンシア）に基づく造語〕と呼び始めた。

プレスや科学界の大半による舞い上がった反応からはっきり見て取れるとおり、これは何しろ大ごとだった。ヴェンター当人は、マイコプラズマ・マイコイデス JCVI-syn1.0という合成ゲノムの起動は技術面のみならず概念の面でも画期的なことであり、「私たちの生命観の途轍もなく大きな哲学的飛躍」だとした。そして、この先に広がる可能性を大胆にも、どこその種がコンピューターの前に陣取って別の種を設計できる「進化の新段階」と形容した。熱狂的な支持者のなかには、合成生物学の可能性を「生命、バージョン2・0」、あるいは「進化を設計で出し抜く」もの、などと表現した者もいる。大勢にとって、これは人類にとってまったく新しい責任と映った。ある開業医は、神の役割を含意することをいとわず、それを「再創世記」と呼んでいる。

万人が明るい見通しを抱いていたわけではない。ＪＣＶＩによるこの細胞は合成ＤＮＡの挿入先が非合成細胞の宿主なのだから半合成でしかない、と悔し紛れに指摘した者がいた。この件についてヴェンターは大言壮語に過ぎると感じた者もいて、ナノテクノロジーにおける短気なドレクスラー／スモーリー論争を思わせる話だが、ヴェンターのコメントを聞いたジェイ・キースリングは、合成生物学の規制に関する質問への回答のなかで、この新分野で規制の必要が本当にあるのは「私の同業者の口」だけだと述べている。[1]

人工生物の作成で大成功を収めたにもかかわらず、ヴェンターのミニマルゲノムプロジェクトはまだ完了ではなかった。彼はマイコプラズマ・マイコイデスＪＣＶＩ‐ｓｙｎ1.0の構築に用いる技術の改良を望んだ。その目的は、細菌細胞を生き続けさせられる最小限のゲノムを作成することである。一般に、進化では長いつづら折りの道を歩んだ末に特定の生物に行き着くことから、どのゲノムにも冗長な部分があり、それらは生命とって不可欠ではない。ヴェンターは、彼のチームならゲノムをマイコプラズマ・マイコイデスＪＣＶＩ‐ｓｙｎ1.0より小さくできるのではないかと考えた。ＪＣＶＩはこの未来のミニマル合成細菌に、期待を込めてマイコプラズマ・ラボラトリウムと名づけて特許を申請し、そうしたゲノムの確立を目指して、不要と判断された遺伝子をシンシアからひとつひとつ取り除く作業に乗り出した。

　細菌の最小限のゲノムを突き止めるというアイデアの原動力は、商用への途方もない可能性だった。生を営める最小限のゲノムを手にすることは、バイオブリックレジストリの背後にある目標ときれいに同じ方向を向いていた。そうしたミニマル生物は、そこに機能的なバイオブリックを挿入できる生きた枠組み《フレームワーク》として利用可能だ。つまり、この最も基本的な生物は、お望みのバイオ産業機械を設置できる生物工場の作業場と化す。大儲けできるとヴェンターが踏んでいるのは、実はこの段階なのである。

　２０１６年３月、ヴェンター配下の研究者らが学術論文を発表し、その中で、これぞ最もシンプルな生物だと彼らが突き止めたものに必要とされる全４７３遺伝子を特定して合成したことを明らかにした。また、このミニマルゲノムの細菌宿主への挿入と起動にも成功し、「史上初のデザイナー生物」をつくったとヴェンターは主張した。マイコプラズマ・マイコイデスＪＣＶＩ-syn1.0とは異なり、これは既存ゲノムの単なるコピーではない。極微のまったく新しい生命形態だった。２０００年、サンマイクロシステムズの創業者であるビル・ジョイが、「これまで自然界限定だった増殖と進化のプロセスが、人間の営みの域に入ろうとしている」[2]と予言していたが、ヴェンターのチームはミニマルゲノムの設計と構築のプロセスを通じて、とうとうジョイの予言を成就させたのである。彼らのつくった人工生命形態は、進化の結果として出現したのではない。ヒトの脳のシナプスの働きから出現したのだ。インテリジェントデザインと言えば普通は、進化論に懐疑的なキリスト教徒が生命の起源に神を持ち出す説明だが、この件では人類が初めて生命のインテリジェントデザインの当事者になったのだった。

マイコプラズマ・ジェニタリウムの持つ世界最小と目される天然ゲノムが解読されてほぼ20年、ベトナムから帰還してほぼ半世紀、ヴェンターはこの惑星で何十億年と見られたことのなかった最小の部類に数えられる生命形態を、彼独自の設計に沿ってつくることに成功したのだった。

巨大ビジネスとリスク

ヴェンターは一般向けの講演で好んでこんな話をする。世界初のトリリオネア（兆億長者）になるのは、経済価値のある人工生物を初めて設計して大量生産できた人物だろう、と。そうした生物の潜在的な用途はきわめて重要であり、多国籍企業などが次々に、ＪＣＶＩからの派生企業シンセティック・ジェノミクスと提携している。その顔ぶれにはブリティッシュ・ペトロリアム（ＢＰ）、農業メジャーのモンサントやアーチャー・ダニエルズ・ミッドランド、製薬企業のノバルティス、そして米国国防省の研究部門である国防高等研究計画局（ＤＡＲＰＡ《ダーパ》）などが名を連ねる。化石燃料企業のエクソンモービルも、バイオ燃料を産生する合成藻類の開発を目指して、シンセティック・ジェノミクスとの提携に向けて最大３億ドルを拠出することを確約した。[3]

こうした類いの提携関係の話になると、環境保護論者はたいてい神経質になる。だが、生態系への意識が高いなら、ナノテクノロジーの場合と同様、こうした生体ミニマシンが実に望ましい作業をいろいろこなせるであろうことは認めねばなるまい。ヴェンターはトリリオネアの話において、人工生物の環境への利点を繰り返し指摘する。細菌は燃料の合成以外にも、大気中の二酸化炭素を消費するように設計して地球温暖化問題の解消に貢献させることや、セルロースをより効果的に分解するようにつくってバイオ燃料づくりを促すことが可能だ。また違う類いの人工微生物を設計して、汚染された場所の汚染物質を処理させることも考えられる。

人工生物は、同じ仕事をこなす非生物機械より優れた点をいくつか生まれつき持つことになる。まず、微生物は地球上で最もありふれた元素でできており、部品の供給に費用をかける必要がない。それに、エネルギー源は身の回りの資源だし、保守や修理は自分でやるし、理論上は際限なく自己増幅できるし、従来の意味で言う汚染は一切ない。完全オーガニックなので、耐用期間が過ぎたからといって処分は不要で、成分元素に自然と分解されていく。環境企業家がそこに金儲けの種があると思うかもしれない理由がおわかりだろう。人工微生物が地球温暖化を解消するばかりか、カーボンニュートラルな燃料を豊富に供給することもできるなら、環境保護主義者は反対できようか？

異議はリスクに関してよく挙がる。安全面では、生命のつくり手という役割を担うことがそもそも賢明なことなのかが心配になるかもしれない。自然との関わり方にも数あるなかで、自然が35億年の試行錯誤の末になし遂げたことを20年ほどの遺伝子研究で達成しようとするのも、いかにも軽率ではないかと思えてくるのだ。人工微生物が呈する生態環境へのリスクも、やはり深刻なものになりうる。人工微生物を環境中へ解き放っておいて呼び戻せるかどうかは定かでない。暴走するナノボットについてマイクル・クライトンが生々しく描いて見せた懸念は、合成細菌の世界的な異常発生という形をとって再び表面化しうる。DNAの本質のひとつがランダムな変異の発生であることは、肝に銘じておく価値がありそうだ。

進化を超えた「デジタルの自然」

異議はほかにもある。こちらはキーコック・リーのような人物の首筋をぞわぞわさせるようなもので、合成生物学の推進派による「進化を設計で出し抜く」や「自然を再発明する」といった表現にその片鱗がうかがわれ、クリントン大統領もヒトゲノム計画の完了を祝う演説で、生命の言語を学ぶことのくだりで何の気なしに触れている。ある教授がドレクスラーに化学を無視していると指摘した話が伝わっているが、その生物版のようなことだ。ダーウィンが大ショックを受けそうな屈辱である。

人類は1万1000年以上前に肥沃な三日月地帯で穀物を初めて手なづけて以来、自然選択の力を軽視するような営みを続けている。グレゴール・メンデルがエンドウの実験を終えた1850年代には、そうした操作には遺伝の原理に基づく確固たる科学の裏づけがあった。ヴィクトリア朝時代のブリーダーはイヌやハトを美のさまざまな理想像に合わせて品種改良しており、人類が動物の姿形をみずからの好みに力ずくで合わせることを厭わないことがわかる。当のダーウィンもこの営みに詳しく、そこから学んでいる。ここ40年以上、生物学者のスタンリー・コーエンとハーバート・ボイヤーによって1970年代に大腸菌のDNAが初めて意図的に操作されてからというもの、人類はゲノムを望みどおりにするのに、繁殖を管理する以外に、「遺伝子銃」などの技術を用いて所定の遺伝子を直接加えたり取り除いたりもしてきた。人類には、自然の手による微調整と並行してゲノムをその手でみずからの目的に合わせて微調整してきた長い歴史があるのだ。

ただし、そうしたゲノム操作の長い歴史のどこを見ても、合成生物学で実現されるほど大幅に生物史から乖離したことはないし、それに迫ったことすらない。生命の起源に関する説明と言えば、これまで概してダーウィン説の一人舞台だったが、合成生物学の出現はこの独占を打破する。

人工生物以前は、地球上のどの生物についてもダーウィン的なことを必ず何かしら言えた。およそ生きとし生けるものは、ベトナムの森林で近年見つかったサオラから、バチルス・チューリンゲンシス〔前出の「Bt綿の木」のBtのこと。昆虫や微生物に対する毒性が知られる〕から抽出された遺伝子の挿入された綿の木まで、かつて生を受けていた個体からかなりの割合のDNAを受け継ぐのが常だ。一部の細菌やミトコンドリアのDNAは同じ世代の個体間という横のつながりでやり取りされることもあるのだが、それを除けば、ゲノムは決まって先祖からの縦のつながりで生殖手段を用いて引き継がれてきた。その先祖にも先祖がいて、そのどれもがそのまた先祖と物理的なつながりがあり、そうしたつながりは進化的時間のはるか先までたどっていける。合成ゲノムが出現するまで、親と子には必ずや確固たる遺伝的つながりがあったのだ。つまり、あらゆる生命が単一の共通祖先の子孫だという主張はこれまで常に正しかったのだ。

35億年のあいだ、ダーウィンの唱えた自然選択の原理は、あらゆる生命体にとって太古の昔とのつながりを維持する錨として機能してきた。

多くの市民から問題視されている遺伝子組み換え作物さえ、合成生物学とは違って、ダーウィンの唱えた自然選択の座を奪う存在ではない。GM穀物は今日世界中で1億7500万ヘクタールを上回る耕地で栽培されており、農業に革命を起こしてきた。インドの有名な反GMO活動家ヴァンダナ・シヴァは、GMOとは「God Move Over（神よ地位を譲れ）」の略であって「Genetically Modified Organism（遺伝子改変生物［遺伝子組み換え作物］）」の略ではないと主張するが、実はGMは技術的に言えば彼女が思うよりはるかにダーウィン的生物史に根づいている。コーエンとボイヤーによる画期的な成果以降につくられた生物には、どれにも進化史との因果関係がある。名称から察せられるとおり、GMOには既存のゲノムの改変しか含まれておらず、その変化の影響を受けるのは作物の持つ全遺伝子の数の往々にして0.1パーセントにも満たない。改変された作物に含まれる遺伝子素材そのものは、どれも長い地球史のあいだに生まれたものだ。このことは、改変されていない99・9パーセントのゲノムと改変された0.1パーセント未満のゲノムのどちらにも言える。なにしろ、外来の遺伝子にもそれを生んだ独自の進化史があるのだ（ほかの生物におけるものだが）。

穀物栽培や農業バイオテクノロジーにより、人類はみずからの望みを生物のＤＮＡに盛り込んで、その生物の振る舞いにさまざまな変化を起こせるようになったが、それは「ＧＭＯに含まれるどのＤＮＡにもその起源に進化の過去がある」というダーウィン説の根源的事実を脅かすものではなかった。周到に交配された、犬アレルギーを起こしにくい低刺激性の小型愛玩犬にも、タイリクオオカミやそれ以前へとつながる原種がいる。反ＧＭＯキャンペーンの槍玉に挙がるいわゆるフランケンフードのなかでも最悪の部類の種にも、地球上の生命史との因果関係が例外なく残っている。編集されたゲノムも、そのアイデンティティはやはり古代の祖先まで物理的にたどっていけるのだ。

合成生物学はこの因果関係を初めてすっかり断ち切る。シンシアやマイコプラズマ・ラボラトリウムの場合のように、ゲノム全体を成分物質から合成することは、これまで越えられることのありえなかった新たな概念的一線を越えている。人工生物には現に祖先がいない。細菌宿主に挿入されたゲノムには、「変化を伴う由来〔ダーウィンは『種の起源』で「進化」という言葉の使用を避けてこの表現を用いた」」の過去がない。何も受け継がれていない。何も遺伝していない。

ＪＣＶＩの研究者であるクライド・ハッチンソンは、チームの成果を回想するなかでこの違いを次のように述べている。「私にとって、われわれのつくった合成細胞の何より特筆すべき点は、そのゲノムがコンピューターで設計され、化学合成を通じて命を吹き込まれたものであり、天然ＤＮＡのいかなる断片も使われていないことだ」[4]。このゲノムの故郷は自然ではなく試験管である。合成ゲノムは生粋のポストナチュラルと言えるかもしれない。この変化の性格をダイアン・アッカーマンがうまく言い表している。こうした新たなタイプの人工生物では、アッカーマンいわく、「デジタルの自然が生物の自然に取って代わっている」。

合成生物学は、ナノテクノロジーのものづくり本能が打ち止めにしたところから出発して、物事を先へと推し進める。地球上で人工生物が増えるにつれ、ダーウィンを通じて理解するに至った生命の進化は次第に過去のものとなっていく。ヴェンターが指摘したとおり、人類は初めて、生物界を見回したときにＤＮＡがダーウィン的進化ではなく人知によってつくられた生物を目にするようになる。変化を伴う由来にとうとう対抗馬ができたのだ。ヒトは初めて、ヒト以外の生命の創造者となる。生命形態を破壊するどころか、まったく新しい生命を設計することによって、この惑星の生命にさらなる彩りを添えだす。これを勝利と見る者もいれば、大いなる傲慢と切って捨てる者もいる。

立ち止まり、自問するとき

環境保護ライターのビル・マッキベンは、目の前で起こるゲノム操作の急速な進歩を取り上げた2003年の著書で、懸かっている物事の大きさを読者に意識させようとした。人類がかつて生物界をここまで根底からつくり変えようとしたことはない。これは人類にとってまったく新しい試みであり、不確かで不穏な将来が待ち受けているうえ、このテクノロジーをみずからに用いるならその感はいっそう募る。われわれが人類であり続けるつもりなら、最も過激な類いの遺伝子テクノロジーに対し、譲れない一線を引いておくことが絶対に必要だ。これがマッキベンの主張である。ゲノム操作の未来に関する同書のタイトルも、「もう十分だ!」(邦訳版ではサブタイトル)と言い放っている。

マッキベンの切なる願いの倫理的核心は自制の呼びかけだった。人類はテクノロジーの使用を通じて大きな発展を遂げてきたが、一部領域には手をつけないほうがいいと認識する力が必要だというのである。自然進化の座を奪い取ろうとするような合成の時代に乗り出すことに、彼は大きな危険性を見て取っていた。彼の主張は、今がもしかすると「人類がこれまで歩んできた道を少なくとももこれ以上進まないことにする時代」になるかもしれないという期待に根ざしている。進歩を止めるという決断は、マッキベンの考えでは、人類がどうありたいかについてのきわめて基本的な決断、傲慢より謙遜を選ぶ決断だ。「神の創造物たるに留まり、みずからを神にしない」[5]という選択である。

自然の定義や自然の未来は私たちが決めると述べたオランダの大気科学者パウル・クルッツェンの考え方に沿って言えば、マッキベンは私たちに今求められている役割を理解していない。人工生物につながるような遺伝子操作は、合成の時代にまさに適したテクノロジーだ。現時点の私たちには、人類が地球に及ぼした取り返しのつかない影響をふまえて、物理世界と生物界の両方を意識的につくり上げていく以外に選択肢はほぼない。クルッツェンは、人新世の科学者や技術者には「社会を環境的に持続可能な管理へ導く」という特別な役割があると言う。人工生物は、人類がみずからを満足に支えられる惑星をつくりたいなら必要となる、数多くのテクノロジーのひとつに過ぎない。自然のプロセスにここまで介入するというのは、「腰が引ける」ことでも「胸が躍る」[6]ことでもあるとクルッツェンは言う。

クルッツェンやマッキベンのような者どうしの論争は、変成新世に対する「アクセルを踏み込んで環境に対する主導権を積極的に握りにかかる機会」という見方と、「ペースを落として自然との関わり方を考え直すきっかけ」という見方との違いを浮き彫りにする。クルッツェンは熱心だが、ゲノムをつくることに必然性はない。今の時代は、変成新世がどこへ向かってほしいかを選ぶ大事な機会なのだ。私たちは立ち止まって、自分たちが何をしているのかを自問しつつ、今歩んでいると思われる道のリスクや危険性を評価することができる。するとたとえば、実験室環境で代謝工学を用いて価値ある新薬をつくるという発想に惹かれるかもしれない。だが同時に、変異を起こして誰も予想だにしなかった振る舞いをし始めるのが心配で、人工生物を環境中に解き放つことに躊躇するかもしれない。人工生物を環境中に送り出して私たちのために働かせることを考える際には、哲学者のスティーヴン・ヴォーゲルが指摘した、何をつくろうと必ずわずかに潜む野性的な面を、これからもまず気にすべきだ。

私たちは、ヒトのクローニングのような活動に対してすでに行ったように、特定の入口を立入禁止にできる。リスクが大きすぎるから越えてはいけない、あるいは、身の回りの世界を変えすぎるし、その過程で私たちをも変えすぎるから越えてはいけない。そんな一線を認識できる。一方で、人工生物の発展に合わせてあらゆる最前線を押し上げ、もたらされる利益が生まれるリスクを上回るよう期待することもできる。

合成の時代に関して何より恐ろしいのは、こうした大きな決断――まさに世界を形づくる決断――が民主的に行われないことだ。特に、事業の利権者や起業家によって誘われた道へ、何が懸かっているかを市民が部分的にしか知らされないまま進むとそうなる。法律学者のジェド・パーディーは『ボストンレビュー』誌の記事で、衝動や不注意から生まれる世界と意図的な確固たる選択から生まれる世界のどちらで生きていくかを決める必要があると述べている。この選択を意図的なものにするには、先頭を切って道を進むテクノロジーについて、市民が今よりはるかによく知っていなければならない。

合成の時代が地球システムの管理に向けて新たな機会をいくつももたらすことに、私たちはそろそろもっと注目すべきだ。ナノテクノロジーで物質の操作をマスターし、合成生物学でゲノムの操作をマスターしたあとも、人類は受け継いだ世界を見渡し、みずからのニーズに合わせてつくり直せる部分がほかにないかと探し回るだろう。また、合成された世界という概念になじむにつれて、地球をつくり変えるという行為にもっと大胆になるに違いない。そして必ずや、別の方法を採り入れて、身の回りの世界をつくり変えていく。原子、分子、ゲノムの単位ではもちろん、次章で見ていくように、生態系の単位でも。

第5章 ポストナチュラルな生態系

そう遠くない過去、環境保全には単純明快な焦点があった。自然の保護だ。「自然」という言葉は人間以外を、すなわち文明の影響とは独立に存在し続けている緑に覆われた世界を指していた。自然はその定義として自発的、自律的に営まれているものだった。多くの人にとって、自然はその自己組織化や多様化の力ゆえ、ある種の神聖さに近い意味合いを持っていた。人の営みから独立しているほど、自然はより徹底して自然で貴重に見えた。

人類が、みずからを取り囲むこの基盤に産業を通じて徐々に影響を及ぼすにつれ、自然はどんどん違うものになっていった。定義からしてそう言えた。ビル・マッキベンは典型的な環境保護主義の立場から、自然がその独立性を奪われたら「その意味にとって致命的」だと述べている。自然が独立していることは自然であるという意味そのものなのだ。水銀を含むオヒョウ、気候の影響を受けた雪塊、発振器を首に取りつけられたコンドルやハイイログマは、どれも人類の影響がどこまで及んでいるかをはっきり示している。独立した自然がなければ、存在しているのは私たちだけ、とマッキベンは言う。

「独立している貴重な自然」という概念の〝絶滅〟とマッキベンが呼ぶものは、私たちの時代における何より特筆すべき大きな移り変わりのひとつだろう。それは「人類が導く新時代」という考え方の中核をなしている。この移り変わりによって、かつて人類の振る舞いに睨みを利かせていた物事が排除されることから、身の回りの世界との関わり方にあらゆる新たな可能性が開ける。この変化の意義を理解するには、手つかずの自然の擁護が環境思想にいかにどっしり腰を据えていたかを理解することが一助となる。

「自然」とは何か

著名な環境思想史学者の大半が指摘することだが、20世紀前半の環境思想家アルド・レオポルドは生涯ツルに心酔していた。背丈が1メートルを上回り、翼を広げればウシの1頭や2頭がその影に隠れそうな、見栄えのする鳥だからというだけの理由ではない。すらりと伸びた首、黒光りする短剣のようなくちばし、後ろへ折れ曲がる華奢な脚を見れば、誰でも足を止め、自然がつくり出しうる美しい造形に歓喜と畏怖の念を抱くだろう。だが、レオポルドにとって、自宅にほど近いウィスコンシンの景観を背景に渡ってくるツルの持つ意味合いは、審美的な美しさだけの問題ではなかった。そもそもツルだけの問題でもなかった。

ツルそのものに惹かれていたのはもちろん、レオポルドにとっては、ツルのいる複雑なランドスケープ〔人や生物が暮らす場として地域的まとまりをなすに至った土地〕そのものも、畏怖の念を抱く対象だった。ツルにその姿形と特筆すべき優雅さを与えたのは、悠々たる、だが容赦ない力だ。そして、その同じ太古の昔から続く歴史の力が、沼地とそこに棲む生命共同体を、ツルとその餌や天敵が生きるのに適した場所にしたのである。

ツルも含めて、ありのままの自然を形づくるさまざまな要素は、地球の長い歴史をまさに体現するものだった。レオポルドはツルの鳴き声を「進化というオーケストラのトランペット」と形容し、沼地そのものが「累代の数々」を経て身につけた「古生物を思わせる気高さ」をまとっていると記している。レオポルドにしてみれば、ツルのいない沼地は沼地とは言い難かった。そんなやせた沼地は物憂げで、自信なさげで、「歴史のなかをあてどなく漂う」存在だった。[1]

レオポルドはただならぬ観察眼で自然界を眺めていた。どうやら、その身を置くランドスケープで起こるささいな出来事に敏感に気づいていたようだ。なにしろ、雪の上にどこまでも続くスカンクの足あとや、たそがれ時の空を飛んでいくヤマシギのダンスについて、紙幅を惜しまず詳しく描き出している。だが、レオポルドが尋常ならざる細かい観察眼の持ち主だったとしても、ツルの沼に思いを巡らせるに当たって彼が引き出していた感情に尋常ならざるところは何もない。むしろその感情こそ、ここ1世紀半の環境思想の土台をなしてきたものと言っていいだろう。

レオポルドなどを筆頭に、手つかずの自然こそ最も望ましい類いの自然だと考えている者たちがいる。彼らによれば、自然界とそこに含まれている生態系が発達させてきた相応の姿形と秩序は、気が遠くなるほど長い地質学的および進化的時間をかけてもたらされたものだ。手つかずの自然こそが自然のあるべき姿である。何十億年という生物史が、そこに倫理的、さらには宗教的な重要性をまとわせてきた。

この考え方を初めて発展させたのはレオポルドではない。アレクサンダー・フォン・フンボルト、ジョージ・パーキンス・マーシュ、ヘンリー・デイヴィッド・ソロー、メアリー・トリート、ジョン・ミューアなど、数多くの著名人がこの見方を支持している。自然を「1000本の糸で」編み上げられた貴重な「生きた総体」と見たのは、フンボルトが最初ではなかろうか。マーシュは、自然がその領分をつくり上げる流儀を愛で、それを「フォルム、ライン、プロポーションがほぼ変わらぬ永遠性」と表現している。

セオドア・ルーズヴェルト大統領は、1908年にグランドキャニオンを国定記念物に指定した際、この感情を彼らしい率直な発言で完璧に捉えてみせている。「今のまま残してください。その上に改良を重ねることなどできません。これまで手をかけてきたのは歳月であり、人間は損なうだけです」。こうした思索家の誰にとっても、自然が気の遠くなるほど長い進化的時間のあいだ人間から独立していたことこそ、自然を貴重だとする理由の大半を占めていた。自然にできた地形やそこにいる生物に私たちが干渉したなら、私たちはそれらを損なったことになる。

『野生のうたが聞こえる』（講談社学術文庫）において、レオポルドはルーズヴェルトのような人物が口にしていた長期的視座を「山の身になって考える」ことと呼んだ。この大地は地球史の時間軸で進んだプロセスの産物であり、その起源は人類が舞台に上がるはるか以前までたどれる。この時間の長さは、私たちに謙遜になることを求める。のちにアメリカの環境保護主義者から聖典のような扱いを受けるこの著書において、レオポルドは環境保全に絡んで最も有名な文言に挙げられるものを残している。「物事は、生物共同体の全体性、安定、美につながるなら正しい。そうでないなら誤りだ」[2]

手つかずの自然に高い倫理的価値を見いだしていることからわかるように、レオポルドは野生のランドスケープをとりわけ重視していた。米国森林局で働いていた1924年、レオポルドはニューメキシコ州の2000平方キロ強（東京都の面積とほぼ同じ）の土地をウィルダネス（wilderness：人の住んでいない未開の土地）として保護するよう連邦政府を説き伏せ、そこをアメリカでこの手の保護を初めて与えられた土地にした。その後、ヒラ・ウィルダネスという広さ44万5000平方キロ前後（北海道の半分の面積とほぼ同じ）の土地などが加わり、ウィルダネス法（1964年）のもとで保護された。こうした土地の魅力に惹かれて、毎年大勢のアメリカ人がピクニック、ハイキング、キャンプ旅行、狩猟旅行に出かけている。彼らの心のなかで原野とは、文明からの大事な逃げ場であり、人間界の外の世界がいかに貴重なものかを垣間見られる最も曇りなき窓である。レオポルドによって命を吹き込まれたウィルダネスという概念は、一部の著述家に言わせれば、アメリカから他国への最大の贈り物だ。

嫌みな皮肉と言えるかもしれないが、これまで何万本という木が切り倒されて紙にされてきており、哲学者や環境ライターはその紙を使って、手つかずの自然や原野に関するレオポルドの考え方の意味や影響について詳しい検証を試みてきた。レオポルド的な哲学は、批判的な者がいなかったわけではないが、少なくとも北米では、そしておそらくはほかの地域でも、現代環境運動の大多数においてこれまで支配的だった。ところがここ20年ほどで、レオポルドらが広めてきた憧憬に満ちたウィルダネス観にいくつか深刻な瑕疵があることが明らかになってきた。声高になりつつある反対派は、環境運動は原風景の崇拝や自然らしさといった発想を脱し、環境保護主義の新たなビジョンへ移行する必要があると言い始めている。「手つかず」、「野生」、「無垢」といった人畜無害に聞こえる言葉の意味合いに、深い哲学的問題が隠れているというのだ。自然という概念そのものに根深い倫理的問題が潜んでいると言う者さえいる。

言葉には、典型的とは言えないゆがめられた現実のイメージをつくるような意味合いが込められうる。そんな認識が広がっている。哲学者はそれを「現実の社会的構築」と呼ぶ。そこにあるものの真の性質がどうであろうと、人間が世界を特定の文化のメガネ越しに見ることは避けられない。そのメガネのレンズは、見えるものに必ず何らかの色をつける。この色のせいで、選ばれた言葉が完全無欠の鏡のごとく1対1で現実と対応することは決してなく、対応関係ははるかにあいまいになる。用語や概念は往々にして、その言葉が説明しようとしている世界について語るとともに、それを使う社会についても語る。「自由」という言葉のニュアンスが、アメリカ人とフランス人と中国人でどれほど違うかを考えてみるといい。

重要な用語やアイデアに文化的な意味合いが込められうるなら、「無垢の自然」という言葉が世界を正確に表現しているのか、それとも、ある決まった類いの物の見方から生まれて、ある決まった類いのニーズを満たすようにデザインされたゆがんだ投影なのか、私たちは問わねばならない。もしかすると、レオポルドが大事にしていた手つかずあるいは無垢の自然という考えそのものが創作であって、その空想を満たされる者もいれば、まったく意味を見いだせない者もいるような、つくり上げられたアイデアなのかもしれない。

レオポルドに批判的な見解はますます増えており、自然界の一部を手つかずで野生だと見るという罠に陥るのは、工業化が進むばかりのランドスケープから早々に逃げ出し、かつての暮らしぶりの良さについて非現実的なイメージを持ち合わせている、裕福な白人男性だけだと言われている。また、該当する男性が、たどり着いた場所を都合良く「新世界」と名づけるような移民の文化に属している場合、この傾向に拍車がかかるという。

レオポルドはたまたま比較的裕福な白人男性だったうえ、執筆したのはその直後にいわゆる「大加速期」が始まるような頃だった。第2次大戦後に訪れたあの例を見ない経済拡大期には、レオポルドの祖父母や親や同世代が移り住んできたランドスケープをアメリカは失いつつあるという恐れが募った。

広がりを見せていた環境破壊に対してレオポルドの抱いた懸念は至極真っ当だが、彼がその懸念と結びつけた無垢な野生の自然という発想は、ヨーロッパ移民がやって来る何千年も前から いる先住民の存在をどうもすっかり無視している。アメリカ先住民が狩猟管理、初期の定住、火の使用、農業を通じてランドスケープをすでに変えていたのに、レオポルドとその信奉者はそれを単純に見過ごしていた。そんな説得力のある主張がなされている。どの営みも、白人によって新世界が植民地化されるはるか以前に始まっていた。なのに、人口のもっと多い祖国のランドスケープに慣れていたヨーロッパ移民は、先住民の存在をまったく無視して、「野生で手つかず」の自然という発想を環境保護主義の倫理的中心として定着させたのだ。一方、多くの言語人類学者が指摘することだが、先住民にとって「ウィルダネス」という言葉には概して使い道がほとんどない。どうもこの言葉は、ウィルダネスに入植してきた側がつくり、その側だけが使っているようなのだ。

ウィルダネスが社会的に構築された概念かどうかは、哲学的にも古人類学的にも興味深い問いだ。一部の者にとってこの言葉は、特定の環境思想を植民地主義や文化的ジェノサイド（集団殺害）という暗い歴史と結びつける。だが、手つかずないし無垢の自然という概念に文化的偏見が隠れていようといまいと、その他大勢から見れば、手つかずの野生は、かつて存在していたとしても、もうどこにも見つからないというのが21世紀初期の現実だ。新たな地質年代の到来を唱える者が繰り返し指摘するように、人類は大量の土を動かし、世界中の森林を伐採し、数え切れないほどの川にダムをつくり、ランドスケープをいくつもまたぐ大都市を建設してきた。穀物や鑑賞種を何千と導入した環境もあれば、土着の生き物を人も人以外も一掃した環境もあった。地球上に1億3000万平方キロ近くある氷結しない土地の8割近くが、人類のために何らかの形で転用済みと推定されている。

その数を減らす一方の、人類がまだ進出していない場所さえも、空気や水で運ばれてきた汚染物質によって1滴の海水、1ミクロンの岩や土に至るまで汚染されている。アラスカの入り江からモンゴルの草原まで、私たちのつくった化学物質の痕跡は至る所に存在する。さらに、このすべてを巨大な空気マントのように温室効果ガスが包み込んでおり、自然のあらゆるシステムが、人類が出現しなかった場合に比べて1℃以上高い温度で稼動することを余儀なくされている。

だとしたら、手つかずのウィルダネスという発想が社会的に構築されたものかどうかは問題ではないのかもしれない。アルド・レオポルドが擁護したような環境思想は今では単純に過去のものだ。原野をありのまま保護するという彼の考え方は時代遅れである。現代について考えている大勢のために新たな環境運動が必要だ。そして、まさに今というタイミングでそれが現れつつある。

エコモダンの思考

エマ・マリスという若きサイエンスライターは、環境思想をこれまでとは違う路線でつくり変えようという改革の先頭に立って声を上げているひとりで、この新たなビジョンを広めるべく『ディスカバー』、『オリオン』、『ネイチャー』などの雑誌で文章を発表し続けてもう10年以上になる。大西洋岸の北西部で育ったマリスは、まだ幼い二人のわが子の成長の場であるこの世界について、哲学者の夫とともに思案を重ねている。生態系に関する問題の報告記事においても、彼女は科学的な詳細はもちろん、取り上げた話題の背後で影響を及ぼしている全体像にも、事あるごとに関心を向けている。2011年の著書『「自然」という幻想』(草思社)によって、彼女は保全に関するここ数十年で最も熱い論争の最前線に押し出された。彼女に言わせれば、旧来のレオポルド的なアプローチは、誤った情報に基づいているばかりか、好ましい環境思想にとって危険な障害でさえある。

普段は気さくで愛想のいいマリスだが、環境運動の変革に貢献しようと、ぶれない論客となって自身の見解をたたみかけるように熱く語る。そして、保守派の環境思想家とたびたび対決する。たとえば、生物多様性の専門家として世界的に有名な、50も年上のピュリッツァー賞受賞者E・O・ウィルソンと。マリスとの討論の最中、環境保護に対する彼女の新しい考え方に失望したウィルソンは、「手にした白旗をどこに差すんだ？」といきまいた。保護すべき手つかずの自然が残っているというような、植民地化以前を配慮しない古い考え方を断固として拒むマリスは、ウィルソンに対して友人のジョセフ・マスカロの言葉を借りてこう応じた。「私がこの立場を取っているのは自然のためであって、１４９１年のためではありません」[3]〔その翌１４９２年がコロンブスによる「新世界」発見の年〕

　マリスによると、私たちが生きているのはポストワイルドの時代であり、人類による数限りない選択の産物となるばかりの世界である。自然の「古生物を思わせる気高さ」を守るというレオポルドの憧憬的な理想は、まさに理想でしかない。非現実的だし、時代錯誤に過ぎて役に立たないのである。マリスに言わせれば、イエローストーン国立公園のような場所さえすでに、目をあちこちに光らせる公園管理者によってかなり手が加えられており、ある意味では「デトロイトの空き地のほうがイエローストーンより野生」[4]だ。ルワンダにわずかに残るマウンテンゴラリの群れに対しては、密猟する気を起こさせないようにするため、今では武装した保護管が24時間体制で尾行している。ウィルダネスを守ろうと自然を単に放っておくことは、今となっては選択肢ではない。レオポルドの古い考え方に基づく自然保護は、エネルギーを消耗するばかりで最終的に実りなき企てとなる。人類が地球規模の変化を引き起こしているとわかっている時代に、人類は「月並みな市民、そして生物共同体の一員」となるよう努力すべきというレオポルドの高尚な提言は通用しない。この惑星全体を変えてしまった種は、何についても「月並みな市民」などになれはしない。

　自然を守る闘いにもう敗れているという含意に、ウィルソンやその信奉者は仰天する。だが、彼らが本当に言葉を失うのは、マリスのような新たな論客の示す、環境保護の次なる一手に対してだ。新たな論客たちによれば、自然が消え去ったなら、環境保護は保全ではなく形成たるべきである。これからの政府は、自然を取り置いて人類によるさらなる侵食から守るというのでは立ち行かない。それにはもう手遅れだ。人類は現地へ出向き、自然を積極的にガーデニングすることが求められる。私たちのためにも、私たちとポストナチュラルの地球を共有するほかの種のためにも。環境保護を説くなら、自然界から身を引いたり、元の野生が残されているわずかな領域の保全を試みたりしてはいけない。操作して、最も必要とされている物事に役立てるべきだ。それが食料の増産でも、生態系サービスの向上でも、レクリエーションやリラックスを目的とした各種空間の開発でも。この営みは多くの場合、生態系を意図的に再構成して私たちにとっていっそう都合良く機能させることに当たる。マリスはこう語る。「認めようと認めまいと、私たちはすでに地球全体を管理・運営している。それを意識的かつ効果的に行うには、みずからの役割を認めるのはもちろん、その役割を積極的に引き受けることが必要だ」[5]

　こうした議論でレオポルドやウィルソンの側につく者たちは、このような提言に驚いて言葉に詰まることもあるが、マリスの側の者たちの士気は相変わらず高い。この新時代に向けて人類が環境との関係をリセットしても、悲しみの引き金にはならないだろう。その正反対だ。新たな無限の機会の源になるはずである。人類のニーズを満たすと同時に、繁栄の新たな可能性をもたらす自然をつくる。そんな可能性に私たちはわくわくすべきとマリスは言う。

環境をより自覚的に管理することに対するかつてないこの晴れやかさは、レオポルド的思考に代わりつつある「エコモダン」思考の最たる特徴のひとつだ。『人類が変えた地球』（化学同人）の著者ガイア・ヴィンスは、環境保護主義の中心には自然に対する従来の価値観から離れた何かを据える必要があると語る。それも未練なしに。彼女に言わせれば、「郷愁の情は……無意味」だ。私たちがつくり出すポストナチュラル環境は、無垢にも手つかずにもならないだろうが、かつて「自然界」と呼ばれていた環境でそれまで価値を見いだされていたものに似た性質なら多々あるかもしれない。ただし、その自然はバージョン2・0だが。

メリーランド大学の地理学者アール・エリスも、マリスやヴィンスと共通する楽観的な見方をしており、環境政策には今や「自然の制約から逸脱することへの恐れや、牧歌的な時代ないし無垢の時代への回帰というノスタルジックな望み」を超越するような移行が必要とだと述べている。そして、パウル・クルッツェンさながらに、「私たちは人類の持続に必要な人工生態系によって変容していく惑星の技術者であり管理者」だという現実を受け入れるほかには今や選択肢がなく、この難題に積極的に取り組んで私たちの生きる時代を「人類が先導する機の熟した、新たな地質年代始まり[6]」と見なすべき、と熱く説く。こうした新時代という概念を擁護する大勢が必ず指摘することだが、本当にもう後戻りはできない。私たちは先を見据えて未来に手をかけて、私たちが最も望むように変えていく必要がある。マリスや彼女に同調する者に言わせれば、そう考えてこそ、大いに必要とされている希望を人類の時代に見いだせるのである。

ヨーロッパの再野生化

環境運動にとっては目まいがしてきそうな大きな変化だ。ポストワイルドの惑星に対するまったく新しいかたちの環境思想である。自然が終焉を迎え、保全が却下され、ソロー、ミューア、レオポルドの亡霊はすっぱり退場させられるのだ。明らかに何か大ごとが進行している。このどれもが真実なら、「自然を人間の破壊行為から守る必要がある」という環境に関する長年の信条は、もはや不適切だとして却下しなければならない。人類はこのポストナチュラルの世界を思い切って変えていくという新たな役割に慣れなければならない。

ここで、少しばかり立ち止まる価値がある。手つかずの野生の自然が持つ貴重さについて、レオポルドによるおおもとの環境思想を文化的目隠しによってつくられた歪曲だと非難できるなら、古い環境秩序を急ぎ覆そうとするなかにも同じ傾向がいくらか見られるとも指摘できる。ヨーロッパ人は概して北米人より、管理された環境という発想にずいぶん慣れている。アルプス山脈、イベリア半島、スカンジナビア半島のそれぞれ一部地域などのよく知られた例外もあるが、億単位のヨーロッパ人が暮らすランドスケープにおいて、無垢の自然から文化的なランドスケープへの転換が「新世界」よりはるかに長きにわたって行われていたことは歴然としている。マリスやエリス、そして環境保護へのこの新しいガーデニング・アプローチの熱烈な支持者とは違い、ヨーロッパ人はえてして「自然にはもうすっかり影響が及んでいる」という見方を思いがけないものとは捉えない。

ヨーロッパ人の多くが、人類による影響の広がりを認識していながら、自然界を重視する立場を今も、根深い倫理的な理由から選んでいる。また、人口密度の高い居住地の合間に残された空間で人目を忍んで今なお生きる捕食種の持つ倫理的な意義について、揺るがぬ信念を持っている。そうした背景から、オオカミ、クマ、ジャッカルといった、カリスマ性があって説話などでも知られている動物への関心が復活しており、ヨーロッパの一部地域ではその数が劇的に回復しつつある。存在価値を評価されているこうした構成員をランドスケープに残して守ろうという努力は相変わらず活発だ。

さらに言えば、ヨーロッパ全土で人口動態が変動して、かつて農耕が営まれていた地域から人口が流出するのに伴い、一部のランドスケープを「再野生化」するという発想がヨーロッパで流行《はや》り出している。産業化が集約的に進んだイギリスのような国においてさえ、イノシシやオオカミなどの野生動物の数を回復させようという提案が新たな支持者を多数生んでいる。ビーバー、イノシシ、オジロワシはすでにその数を戻した。英国海峡の向こう側に目を向けると、ドイツは2020年を目処に国土の2パーセントにおいて「母なる自然がみずからの法に従って再び発展できる」[7]ようにするという国家目標の達成を目指している。ドイツのオオカミの数はここ20年でゼロから250頭を超えるまでになった。ベルギーとオランダというドイツの隣国2国は、集約管理されている農地に近ごろオオカミが再び姿を見せるようになってから、大型の捕食動物といかに共存するかという問いと格闘している。人口密度の高さにもかかわらず、「自然」はもちろん「野生」という概念も、ヨーロッパ人のレーダーには大きな影として映っている。

世界は今まさに新時代に突入しており、環境思想の根本姿勢は管理をいっそう強めるほうへと変わるべき——北米発のそんな提言は、多くのヨーロッパ人にいささか奇妙なものに映る。環境思想はポストナチュラルないしポストワイルドへ移行すべき、という発想も風変わりなものに聞こえているだろう。ヨーロッパ人は概して、彼らのランドスケープが手つかずではないことを認めながら、文化の枠外にある重要な存在領域として自然を重視する立場をこれまでどおり崩さない。また、野生が比較的残る各地の狭い範囲を広げる努力にたいそうな資金や時間を注ぐことを厭わない。

ヨーロッパにおけるこうした動きを何らかの根拠とするなら、野生に倫理的および文化的な意義があるとするレオポルドの考え方はまだ終わってなどいないのかもしれない。人類の影響を逃れた自然の営みに対する評価は、多くの場面で相変わらず高い。野生の自然には変成新世の触手に抗う力がまだ残っているのもしれない。

新奇な生態系

自然の終焉に関するこうした何やら矛盾をはらむ話を聞いたあとでは、レオポルドとマリスのかけ離れた結論のあいだになんとか落としどころを見いだそうとする野生観が、旧世界の国から打ち出されても驚きはない。この地球における人類による影響の広がりを認めつつ、自然を「生き生きとした」、「驚異の」、「野生の」などと形容する余地を今も見いだしている環境保護主義者に対し、『外来種は本当に悪者か』（草思社）の著者でもあるイギリスのジャーナリスト、フレッド・ピアスがひとつの方向性を示している。大きな影響を受けた世界各地の生態系を引き合いに出しつつ、ピアスは環境保護主義者が保護すべきはいったい何かを包括的に考え直すようを促す。彼はレオポルドの遺産から断固として距離を置くと同時に、今やすべてがポストワイルドだとするマリスの考え方を却下する。そして、それらの代わりとして唱えているのが彼の言う「ニューワイルド（新しい野生）」だ。

ピアスは人類による影響について教訓を学んできたヨーロッパ人として、「環境を考えるうえで重要なのは在来種のみを含む手つかずの生態系だけ」という考え方をやんわり退ける。人類は何千年と種《しゅ》を持ち込んだりランドスケープを形づくったりしてきた。そうやって身の回りを根本的に変えてきたからと言って、自然が生気あふれる独立した場であり続けることは妨げられない。この現代的な野生観の火を絶やさぬようにするためとして、ピアスは次のように主張する。

従来の環境保護主義者は非在来の侵入種に嫌悪のまなざしを向けてきた。だが、広く行き渡っているこの嫌悪を考え直す必要がある。在来種は善で非在来種は悪とそっけなく決めつけても何の役にも立たないし、そうした決めつけは生態学的にも誤りだ。生態系ではいつでも在来種と新参者がでたらめに混在しており、その場を去る者によって空いた重要な生態学的役割を新参者の誰かが引き受ける。たとえば、ハワイでは非在来種の鳥が在来種の樹木のために種まきの大半を担っている。イギリスでは侵入種のトルコオークがアシナガバチを呼び込み、そのおいしい幼虫が絶滅危惧種のアオガラに欠かせない生命線となっている。インドネシアでは現存するオランウータンの4分の3が自然林ではなく植林地で暮らしている。こうして絶えず、新参者がやってくると生態学的役割のやり取りが行われるわけだが、これは人類の時代に限った現象ではない。自然界はこれまでずっとそうしてきたのだ。流木や気流に乗って、あるいは鳥の消化管や脚の長いイヌの毛の中で、機会に便乗した種はより良い未来を求めて絶えず移動する。

ピアスによれば、非在来種への偏見と多くの国で移民に向けられている偏見には似たような悪意が見られる。たとえば、優生学に基づくナチの発想には、同じようにして誤解されたダーウィン説を通じて、環境絡みで見られる非在来種への嫌悪とのつながりがある、と彼は言う。一般に信じられているところとは裏腹に、生き残るのは最も優れた適者とは限らず、最も優れた機会主義的《オポチュニスティック》な者になることもある。ピアスはさまざまな非在来種による重要な生態系サービスの実例を挙げて、人類による生態系への影響も良いほうへ転びうることを示している。また、数十年と経たないうちに「厄介者」から「生態学的に望ましい存在」へと変わった移入種の浮き沈みをつぶさに調べ、非在来種がしばしば誤ってスケープゴートにされていることを裏づけてみせている。汚染や生息域の破壊といった人類の悪行による問題の責任を押しつけるために、非在来種はあしざまに言われてきたのだ。

典型的な例を紹介しよう。１９９０年代初期の地中海で、観賞魚用の水槽に彩りを添えようとインド洋から持ち込まれた海藻のイチイヅタが逸出し、フランスからイタリアにかけてのリヴィエラ沿岸にあっという間に広まった。しばらくは、イチイヅタが在来の海藻の生育を妨げたり各種海洋生物の大事な産卵場所を損なったりしたように見えた。パニックが起こり、社会の敵の代表格に仲間入りさせられた。シュノーケルをつけたボランティアが引き抜こうとしても、ほとんど効果がなかった。

ところが30年後、イチイヅタはほぼ姿を消していた。浜辺のリゾートからかつて地中海に流れ込んでいた都市汚染水が浄化されるようになった途端、イチイヅタが減り出したのだ。海洋生態系の健康状態が急速に回復した。言い換えれば、問題は新たにやってきた種ではなく人類だったのだ。ほかの海藻はイチイヅタが出現する前からもう死にかけていたのである。それだけではない。イチイヅタを敵視する向きにはさらに受け入れがたい事実として、イチイヅタはどうやら、都市流出水のせいで不毛になっていた岩肌を再び緑化し、一部の在来種の貴重な仮の宿となっていた。割り込んできたあの海藻は、汚染を生物学的に改善しつつ、在来の食用二枚貝が増殖できるような生息地を提供していたのである。ピアスが指摘するように、侵入種は一般に思われているのとは違って必ずしも破滅を招くものではなく、人知れず利益をもたらしていることもよくある。

ピアスは、北米の五大湖地域で悪名高い別の生物についても、似たような偏見の話を紹介している。１９８０年代のこと、カワホトトギスガイがカスピ海からの貨物船によって思いがけなくエリー湖に持ち込まれて大増殖し、この歓迎されざる移入種に対して宣戦が布告された。ソ連が原産だったこともあって、縞模様が特徴のこの貝はレーガン政権期にはことさら嫌われた。エリー湖の生態系全体の崩壊を懸念して緊急警告が発せられた。

だが、ピアスによると、カワホトトギスガイは「エリー湖史上最高の浄化装置」だった。生き物がほかにほとんど生息できなかったほど汚染の激しかった生態系に定着し、湖水中の大量の汚染物質をろ過したのだ。加えて、絶滅の危機にあったミズウミチョウザメやコクチバスの、また、渡りの途中でエリー湖の汚い水をそれまで避けていたカモの大群の、安定した食料源にもなった。もちろんいい話ばかりではなく、パイプを詰まらすし、対応を強いられた地方自治体に経済損失をもたらしているし、在来のエビや二枚貝と競合してもいる。それでも、カワホトトギスガイによる経済的および生態学的な恩恵は過小評価されており、実際ばかにならない。みずからの落ち度を正視するより移入種のせいにするほうが、何かおかしな理由でいつでも簡単そうに思える。そんな事実にピアスはスポットライトを当てたのだった。

このいただけない思考をさらに白日の下に晒すべく、ピアスは外来種が生態系にとって貴重な存在となるに留まらないこともあると指摘する。英雄視され大歓迎される住人として崇められている事例もあり、アメリカではネブラスカからニュージャージーまでの12州がセイヨウミツバチを州の昆虫と正式に指定している。

この元気なよそ者が大事にされている理由のひとつは、現在アメリカの作物授粉の80パーセントを担っていることだ。野生の個体に加えて、膨大な数の巡回巣箱に暮らす途方もない数のセイヨウミツバチが、カリフォルニアからニューイングランドまで全国をトラックで回っており、開花時期に合わせて乗りつけては重要な農産物を授粉させている。恩恵にあずかっている経済的に重要な作物には、リンゴ、ブラックベリー、ブルーベリー、メロン、サクランボ、クローバー、クランベリー、キュウリ、ナス、ブドウ、ライマメ、オクラ、桃、梨、トウガラシ、柿、プラム、カボチャ、ラズベリー、大豆、ストロベリー、スイカなどがある。この助っ人外来種はその自由労働を通じてアメリカ農業経済のかなりの部分を支えている。たとえば、アメリカのアーモンド業界はその存在をセイヨウミツバチにすっかり頼っているのだが、カリフォルニア州だけでも10万4000の職を支え、州経済に110億ドル以上の経済価値をもたらしている。

こうした文句なしの生態学的、経済的な恩恵がなかったとしても、非在来種の肩を持つ主張には今日のランドスケープの性格をふまえたもっと現実的な支持材料がある——そうピアスは指摘する。ほとんどのランドスケープに今では導入種がかなり存在していることを思えば、もう後戻りはありえない。サンフランシスコ湾の入り江に棲む種の35パーセント、フロリダ州のエヴァーグレーズに棲む種の25パーセントが非在来種だ。ラクダの生息数は今やサウジアラビアよりオーストラリアのほうが多く、ハワイのような島々では非在来種が動植物相の半分以上を占めている。それらを1種ずつ排除することは不可能だし、そうやって残された生き物が望ましい形で機能するかどうかはまったく定かではない。

話を農業に限ると、非在来種の存在感はなおいっそう際立つ。非在来種は世界中の食用作物の70パーセント近くを占めている。アメリカではそれが90パーセントにものぼり、オーストラリアやニュージーランドのような島国では100パーセント近い。導入種であることの多い家畜化された動物種（ヒツジ、ウシ、ブタ）は世界を席巻しており、今では地球上の陸生バイオマスの95パーセントが人間と家畜化された農業動物の重さの合計だ。そうした非在来種は世界中の農場にいくらでもいて集約的に飼育されており、これからも居座る可能性が高い。それに、種が世界規模で行き来し続けている現状が近々変わるとも思えず、今この瞬間にも7000〜

1万種〔動植物プランクトン、魚類などの幼生・卵など〕が世界中の貨物船のバラスト水に混入して新たな目的地へ向かっている。生物学者によれば、動植物の国際的な移動によって、2億年前まで存在した超大陸パンゲアが実質的に形づくられており、海という侵入障壁は無意味になっている。今日の非在来種の侵入を語るとき、水際作戦は遅きに失している。とうの昔に突破済みなのだ。

人類による自然への影響は劇的で生々しいが、人類の影響を受ける生態環境を積極的に受け入れるマリスなどと同様、ピアスもそれは後悔の元ではないと主張する。侵入種はこれまで常に自然を前進させてきた。その力は、うち捨てられた工業用地さえ生物多様性を育む新手の箱庭となりうるほどで、現に石炭火力発電所のボタ山は「生物多様性の見事なオアシス」になっているし、テムズ川の河口域に放置された粉化した灰の山はランや無脊椎動物の「宝庫」だ。導入種や移入種は、生物多様性を高く保ち生態系を円滑に機能させるための鍵を握っている

——そうピアスは熱く説く。

ピアスの説くニューワイルドは、自然の史跡をできるだけ手つかずの状態で保護することとはほとんど関係ない。生態系の変化を許容する、ときには活用する、という話である。完新世の終わりを迎えるにあたり、世界中の生態系の多くがもはや後戻りできないほど「新奇な(novel)」状態になっている。この新たな生態学用語で形容される生態系に該当するのは、人類による影響を大きく受けており、かつて存在したことのない組み合わせの種がいて、この新し

い状態から抜け出しそうにない生態系である。

こうした考えは、環境保護主義にとって、人類による影響を排除不要のものと捉えていることが斬新だった。健全な生態学的プロセスを突き動かす力は機会主義であり、それが新奇な生態系を生み出すのだとピアスは力説する。この場合、機会主義的な行動は人類による攪乱に乗じて起こる。ピアスはさらに、ニューワイルドという前向きな捉え方は気候変動に対する考え方に影響を及ぼすかもしれないという異説をも口にする。温暖化に伴って、今にも進化的爆発が起こるかもしれない。種は移動したり交雑したりと、革新的な生き残り戦略を模索中だ。ピアスに言わせると、そうしたイノベーションは嘆くべきものではなく、自然が本領を発揮しているという実例だ。新奇な生態系はニューワイルドの歓迎すべき核心と言えよう。

ピアスがニューワイルドについて語るなかでは、人類が自然とどう関わるべきかについての内容が重要である。彼の考えは、従来の環境思想を多かれ少なかれ覆すものだ。生態系をこれまで良しとされてきた状態に戻そうとするのを諦め、絶えず変化するという現実を受け入れると、ランドスケープ管理に新たな可能性がいくつも開けてくる。そうした可能性のいくつかの範囲内では、ニューワイルドというピアスの展望とポストワイルドというマリスの発想が歩み寄りの兆しを見せている。

生態系における導入種の存在が悲観すべきことではないなら、生態系に含まれる構成要素の意図的な入れ替えも、環境保護主義者がかつて考えていたほど許せない話ではないのかもしれない。大事に思う種を保護したいなら、柵をつくり、ほかの種を閉め出し、昔からの決まった状態を保とうなどと思ってはいけない。生態系を情報に基づき意図的に再構成することを目指して、種の移動や交換といった手段で自然の秩序に積極介入すべきなのだ。私たちを取り巻く土地での伐採や植樹、移入や交雑、新たな試みや手直しに臆病になってはいけないのである。

言い換えれば、矛盾しているようだが、自然は新時代に自然として生き残るために、人類によるかなりの操作を必要としているのかもしれない。私たちは、マリスの言い回しを借りれば、私たちを取り巻く世界をよく考えながら「ガーデニング」し始める必要がある。食料を生産したり動物を飼ったりしている近場の農場に限った話ではない。どこもかしこもだ。今や自然そのものが私たちの農場かもしれないのである。

環境思想の大転換

数多くの宗教や先住民族の信仰体系に、私たちの生まれ出た宇宙は私たちではない力によって創造されたという根本教義がある。創造主の物語はその役割として、起源の説明を宗教上重要な大いなる力を持ち出すほうへと向かわせる。そうした説話の影響で、多くの伝統的な宗教や信仰において、周囲の世界はその神聖な起源ゆえに敬意をもって接するべきものとされてきた。敬意の表し方こそさまざまだが、起源の神聖さが周囲の世界との接し方に制約を課してきた。

地球の起源に神を持ち出す説明を一切買わない者も、物理的、化学的な力が働いてこの世界が創造されたのが人類出現の何十億年も前にさかのぼることには、畏怖の念を覚えるものだ。古生物学者で進化生物学者のスティーヴン・J・グールドは、ホモ・サピエンスの出現に先立つこの想像を絶する長さの時間について、彼一流の目で次のような譬えを選んで紹介している。「地球史を昔のイギリスの1ヤード、すなわち王の鼻先からその伸ばした手の指先までの距離としてみよう。中指の爪にやすりを一度走らせれば、それだけで人類史は消えてしまう」[8]。王の伸ばした腕の示す長い時間のあいだに、実に驚異的なことが起こった。それもすべて、人類による干渉とはまったく無関係に。これこそ、レオポルドがツルをさんざん愛でたときに触れていた古生物を思わせる気高さだ。多くの環境保護主義者の目に、これだけ長い時間をかけるという自然界の仕組みは敬意に値するものと映る。

だからこそ、ピアスのような新進の保全論者が現在発展させている新奇な生態系管理アプローチは、環境思想の大転換なのだ。環境への意識の高さでは知られていなかった某元アラスカ知事は、オオカミの駆除計画を正当化しようと、「自然を野放しにしておくわけにはいかないだろう」と発言して各方面から失笑を買ったものだが、今日の新しいタイプの保全論者が唱えているアイデアは、この発言を情報に基づいてアップデートしたものに当たる。彼らの考えでは、自然は放っておく必要はない。むしろ、形づくってやる必要がある。合成生物学やＤＮ

Aの場合と同じで、自然は過去の状態で保持しなければならないものではなく、より優れた路線に沿って再構築すべきものなのだ。合成の時代は、受け継がれる生物学的および生態学的な世界を劇的に向上させる機会を人類にもたらす。

この新たな時代に、自然保護はまったく違う捉えられ方をされ始める。その発想によって環境保全が導かれる先にアルド・レオポルドが立ったなら、ウィルダネス保全の核心に至るまで揺るがされるだろう。

第6章 種《しゅ》の移転と復元

自然の汚れなき調和という古い発想が捨てられたとき、介入主義色のきわめて濃い環境保護主義への扉が開く。人類は以前から自然をむやみに形づくってきたが、もっとよく考えて意図的にやったほうがよさそうだ。パウル・クルッツェンは、自然の定義と今後のありようは人類次第だと言った。一部の生態学者からは、この機会を喜々として受け入れる心づもりがはっきり見て取れる。

気候変動に対する人類の影響が深刻になるにつれ、これまでの生息域に留まれば暑さにやられると予想される種の多いことが明らかになりつつある。たとえば、イギリスでは年間平均気温の等高線が年5キロ弱の速さで北上している。気候ストレスを感じている生物のなかには、荷物をまとめて気候のもっと快適な場所へ引っ越すのが比較的容易なものもいる。翼か筋肉質の脚があり、餌にうるさくないなら——カササギやキツネなどがそうだが——生息域を毎年数キロ北上させるくらいは難なくできるだろう。だが、根を張っていたり、孤立した斜面を棲み処にしていたり、単に物事を急がないたちだったりした場合、必要な速さで移住することは選択肢に入らないかもしれない。たとえば、樹木の大半は、種子の散布を通じて年30メートル前後北上するのが精一杯だ。ミミズにはさらに大変で、環境によってはせいぜい1世紀に1.6キロ強が関の山らしい。そうした種が気候変動の先を行くことはとにかく不可能である。

新しい環境保護主義に背中を押されている生物学者は、苦労している種には救いの手を差し伸べるべきという主張を強めている。もしも動植物の生息地はフレッド・ピアスが書いているように人類による介入の影響をすでに大きく受けて形成されており、もしもそれが倫理的にも生態学的にも許容されることなら、脆弱な種を生き残りの確率が高まる場所へ積極的に移すことも大きな問題にはならないかもしれない。気候変動への新たな対処法に「移住援助（assisted migration）」がある。ただ、「移住者（migrant）」という単語の帯びる政治色が強まるばかりなので〔この単語は人にも動植物にも使え、人の場合は「移民」の意味になる〕、一部推進派は「管理された移転（managed relocation）」と呼び変えている。[1] この新たな手法に、昔ながらの環境保護主義者が大勢、すっかり面食らっている。

「管理された移転」の実験

ヨーク大学の生物学者クリス・トーマスは、彼の研究対象である昆虫のいくつかと驚くほど似たエネルギーを発することがある。引き締まった体躯に銀縁のメガネ、髪がかなり後退しているトーマスは、チョウが話題にのぼると表情をぱっと明るくする。優れた業績を上げた学者の例に漏れず、自身の研究テーマへの情熱が全身にあふれている。近ごろイギリス王立協会のフェローに選ばれた彼が研究の中心に据えているのは、気候変動の影響に対する生態学的および進化的反応、たとえば生息域の分断や種の侵入だ。なかでも、気候の温暖化が鳥や植物や昆虫に与える影響を心配しており、こうした生物の救済に必要となりうる保全戦略を打ち出そうとしている。

ここで、夏の日の午後にトーマスとのんびり会話を楽しもうという方にひとつ忠告を。たとえ会話の真っ最中でも、チョウの類いが通りがかろうものなら、彼はそのあとを目で追い始め、飛跡に合わせて頭を上下にゆっくり揺らし始める。すぐにあなたは相手がこちらの話に上の空だと気づき、彼の気を引いた虫はいずこと辺りを見回すかもしれない。そうやって少しでも隙を見せれば、トーマスは行ってしまうだろう。野原に分け入り、長い手足を獲物を追うバッタのように大きく回したかと思うと、這いつくばって、メガネを取り、気になっていた虫を至近距離で観察するのだ。

今世紀に入ってまもなく、トーマスは同僚のジェーン・ヒルとスティーブン・ウィリスとともに、管理された移転の先がけに数えられる実験を始めた。[2] ヨーロッパシロジャノメとシルベストリスジグロチャバネセセリという在来のチョウ２種の将来に気候変動が与える影響が気になって、特別なことを試してみようと思い立ったのだ。そして、それぞれを５００匹ほど入れた箱を車のトランクに積み込むと、高速道路で北へ向かった。

生息域の気温が上がり出したとしても、チョウなら飛んでいきさえすれば難を逃れられるはず、と思われるかもしれない。だが、そうとも限らない。大都市圏や適した食べ物のない地域などが新天地への移動の障壁となり、自力で引っ越せないことがあるのだ。なかには出不精でとにかく移動を嫌うチョウもいる。こうした要因が重なり、この２種は特に、気温の上昇に自力では対処しそうになかったのである。

高速道路でイギリスの北東部へ急ぎ運んだチョウを、３人は生息地にふさわしいとして選んだ２カ所の採石場に放った。どちらの採石場も事実上うち捨てられた工業用地だったので、移されたこの２種が元の自然の秩序を乱すという心配はなかった。保全に詳しい地元の専門家をアドバイザーに迎え、オス・メス両方を各採石場の同じ場所に、遠い南の生息地で網にかけてから数時間もしないうちに放った。そして、あとはチョウに任せて放っておいた。

それからの様子を10年近く詳しく調べ続けたところ、２種とも北の故郷で生き残っていたどころか、幸せに暮らすチョウに予想されることだが、個体数を増やして生息域を広げていた。この管理された移転は機能したのだ。それもうまいこと。安上がりで、見たところ無害で、効果があった。

このちょっとした試験の結果をトーマスは次のように解釈した。これは、移動の遅い種に及ぶ気候変動の影響を抑えるための保全手段として、管理された移転が有望であることを示している。チョウでうまくいくなら、ほかの種でもうまくいくかもしれない。この実験は、気候変動の脅威にさらされている種に対して生き残りに必要な救いの手を差し伸べられるという希望を与えるものであり、気候変動に対応する保全の一例と言える。

ただ、3人が新天地における拡散の速さを調べたところ、残念ながら他種のチョウの典型的な速さとほぼ同じで、イギリスで気温の等高線が北上している速さを大幅に下回っていた。拡散が遅いということは、チョウが疫病のように広まって新天地で厄介者になったりはしないことを意味する一方で、チョウのような種を気候変動についていかせるつもりなら、今後数十年で何度も移転させる必要が生じかねないことも意味する。介入はますます普通になっていくだろう。

進化補助・適応促進

うまくいく種があるとはいえ、管理された移転という発想そのものに心底違和感を覚える生物学者や環境保護主義者は多い。移転された種が新天地にうまく適応するとどうやってわかるのか？　生物学的な混乱を招かないことを保証できるのか？　そう彼らはいぶかる。動物園の外にいる動物には「野生」と言われるだけの理由がある。

移転が試みられたうち、グレートスモーキーマウンテン国立公園のアメリカアカオオカミは、そしてコロラド州に再導入されたカナダオオヤマネコの第1陣も、優れた生息地になるだろうと専門家が判断した場所に放たれたにもかかわらず餓死している。一方、シェイクスピアの『ヘンリー四世 第1部』の台詞で言及されるというかなり変わった理由で1890年代にニューヨークのセントラルパークに放たれたムクドリの一種は、実にうまくやっている。北米大陸じゅうに広がって、個体数は現在2億羽を超えており、北米で最も多い鳥となっているに違いない。

非在来種にいまだ懐疑的な向きは、放たれた動物の幸福にとってのリスクや、意図的に移転された種によってそれを取り巻く生態系にもたらされるリスクを理由に、移転に対して「生態学的ルーレット」というレッテルをはっている。これが、ピアスの指摘する積もり積もった移民への偏見の表れなのか、それとも種を意図的に入れ替えるという行為が内包するリスクの現れなのか、いまだに議論が続いている。それはともかく、進んで移ってきたわけではない生息地に種が意図的に移されてきた場合に何が起こりうるかには、本質的に予測不可能な面がある。

もっと深い哲学的な問いも浮かび上がる。移されたヨーロッパシロジャノメは、レオポルドが「累代の数々を経て身につけた」とする「古生物を思わせる気高さ」を新天地でも引き続きまとうのだろうか？ 移されたヨーロッパシロジャノメは独力で地質年代の数々を経てきたわけではもちろんなく、クリス・トーマスの運転するフォードフィエスタで高速道路を北上してきた。おそらく、人類によるこの介入がチョウの完全性を何かしら損なったと思うかどうかは、人類が自然の秩序を意図的に再構成し始めたあとの自然も「自然」と思うかどうかによるだろう。

　管理された移転におけるこのレベルの介入は、有史以来行われてきた概して無計画な偶然の入れ替えの域を超えているし、娯楽のため、あるいは経済的利益のために場所を移すという域も超えている。表向きにでもその種のために移動させる、という新たな活動の始まりではあるが、その種のためかどうかを決めるのは知識の豊富な善意の野生生物学者だ。だが、彼らにどれほど善意と知識があろうと、どの種を移転させるべきかは結局のところ文化的な選択となる。管理された移転では、特定の生態系における種の組成が自然ではなく人類によって決められるのである。

　大勢にとって、これは自然というものに関する基本的理解に反している。ある環境哲学者は、自然界がどうあるべきかを人類の選択に頼ることは、「自然の偽造」[3]に当たると言う。人類が選んで意図的に配した種の棲む計画的な生態系も自然の生態系だ、という考え方に彼は疑問を呈する。ビル・マッキベンも指摘したように、自然の独立性はその意味できわめて重要なのである。

　無警戒の生態系にまったく新たな種を導入するというのは行き過ぎに聞こえるかもしれない

が、これから紹介する管理された移転はもっと微妙な線を行っており、クリス・トーマスが500匹のヨーロッパシロジャノメでやったことほどの派手さはない。同じ種のなかから有用な形質をもつ個体を特に選び出し、痛手を受けた生態系に導入する、という発想である。

アメリカシロゴヨウは、北米の標高の高い山地に生息する松の一種だ。さび病とキクイムシの手にかかって大きな痛手を被っているところへ、近年は気候変動の影響でさび病もキクイムシも脅威の度合いをはるかに強めている。今では無数の古木が高地のあちこちで幽霊のごとく立ち枯れているうえ、若木は生殖樹齢に達する前に虫や病気にやられている。

美しくも力強い姿を見せているほかに、アメリカシロゴヨウはロッキー山脈の生態系で重要な役割を担っている。独特の環境が長い年月をかけてこの木を中心に進化してきたのだ。カケスにも似たハイイロホシガラスは、種子の入った松かさをあちこちへ運んでいく。すぐには手をつけない分もあり、ハイイログマがこの高エネルギー食をたらふく食べることを覚えた。死肉をあさるクズリから繊細なコケまで、高地における春の雪解けの速さに敏感なその他もろもろの動植物の運命が、アメリカシロゴヨウの運命に密に織り込まれている。初秋にありつける種子がすでに減っているせいで、ハイイログマは別の場所での餌探しを余儀なくされていると予想されており、その途中で人間と出くわす可能性が高まっている。日陰をつくるアメリカシロゴヨウがないと、高地では春に積雪が早めに後退することから、乾燥が早まる、というように反応が連鎖していく。

クレーターレイク国立公園の植物学者ジェニファー・ベックは、アメリカシロゴヨウの運命を気候変動の手に委ねることを拒み、園内に生える病気に強そうな個体からつくった苗木を植樹する活動を組織している。有利な遺伝子をもつ個体は耐性を確かめられたのち、園外の苗木畑で何年かかけて増やしてから、大昔はカルデラだった園内の病んだ同胞の合間に植え戻される。こうした植樹を通じて、自然の高地に生息する樹木にもっとチャンスを与えられれば、とベックは願っている。

この介入主義戦略では、種《しゅ》をまるごとまったくの新天地へ移植することまではしておらず、以前からあったなかで遺伝子が変異したものを移植しているだけだ。とはいえ、やはりかなりの介入であり、人類が今している意思決定によって、自然の生態系における将来の遺伝子構成が形づくられることになる。こうすればもっとうまくいくと期待される方針に沿って、自然を遺伝子の面でつくり直しているのだ。ここには、種から種への偽りなき利他主義が垣間見られる。私たちとその懐具合にとって最善なことではなく、アメリカシロゴヨウにとって最善そうなことを選んでいるのだから。とは言うものの、これまで一貫して誰の手も借りずにつくり上げられてきたシステムが、今や人類という庭師によってつくり直されている。自然はもはや放っておいてはもらえない。

「進化補助」や「適応促進」などと呼ばれる同様の戦略に基づき、セイシェルでは、海水温の上昇というストレスをもっとしのげる耐熱性サンゴの繁殖が進められている。うまく生育したなら、気候変動の影響を受けて急速に衰えるサンゴ礁に移植されることになる。アメリカ北東部では、ある疫病に強いクリが育てられている。その疫病は、20世紀初頭にニューイングランドの森に壊滅的な打撃を与えたものだ。十分な時間があったなら、サンゴもアメリカシロゴヨウも、もしかするとクリも、害をなす条件への抵抗力を独自に進化させたことだろう。だが、気候変動が急なため、多くの種に時間が足りていない。人類はこのことをふまえて、介入が必要だと判断してきた。そうした事例において、進化や生態系のプロセスはもはや人類と独立には機能していない。

レオポルド派の環境保護主義者はこの手の介入に懐疑的だ。彼らは、ワシントン州の森林地帯でウィルダネスと指定されている範囲ではいかなる植樹もなされないようにしようと活動を続けてきた。提案される介入の目的が代表的な種を救うことであっても、彼らはウィルダネスの調整は自己完結しているべきだと唱える。このようなウィルダネス擁護派は、慣れ親しんできた自然さの概念にまだこだわっており、自然に人類の手が及ばないようにすることをどの種の生き残りより重視する。彼らはリスクも心配しており、こう主張する。生態系を意図的に微調整することは、受け継がれてきたウィルダネスを破壊するに留まらず、予想外の結果をまず間違いなく招く。生物の自然には未知数があまりに多い。私たちの科学は不正確きわまりない。私たちの介入は稚拙に過ぎる。

彼らの言うとおりの事例もあるだろう。種を元の生息地から外へ移した結果の予想ということで言えば、人類には残念な過去がある。アメリカ南部のクズ、オーストラリアのヨーロッパアナウサギ、アフリカのヴィクトリア湖のホテイアオイは、移入先の生態系にとって逆効果となった。被害の回復には、往々にして費用のかかる想定外の作業が必要となる。[4]

ジェニファー・ベックとクレーターレイク国立公園の仲間たちにはすでに想像以上の手間暇がかかっている。彼らは苗木にチャンスを与えるべく、ランドスケープに分け入って、浸食してきたマウンテンヘムロックの木を「抑圧する」必要があり、その一環として、幹の外周をぐるりと切って、ヘムロックの木が養分を運べなくなるようにしている。移植種を救うために在来種を殺しているのだ。手がかかるようになるほど、倫理はねじれていくようである。

移住や進化を支援することの倫理について倫理学者が思案を巡らせているあいだにも、商業界は黙って手をこまねいてはいない。進化を形づくる新たなテクノロジーは驚異的な速さで突破口を開いていく。病気に強いアメリカシロゴヨウの個体を山腹から探し出して苗木畑で増やす、というジェニファー・ベックの戦略はいかにも時代遅れになり始めている。

野生の自然を操る

「CRISPR（クリスパー）」は「Clustered Regularly Interspaced Short Palindromic Repeats〔「規則的な間隔で並んでひと塊をなす、回文構造を持つ短いリピート配列」の意〕」の略で、細菌が有害ウイルス対策として採用している防御システムの一部である。ウイルス感染をしのいだことのある細菌は、有害なＤＮＡの短い配列を、敵に関する一種の「生化学的記憶」として保存できる。これがあると、同じ敵が再び侵入してきても、相手を認識し、ＤＮＡの危険な部分を取り押さえて切ってしまえる。これにより侵入者は無害化される。加えて、切り出した断片を別のもっと望ましい配列に置き換えることもできる。

細菌に見られるこうした仕組みは、日本、オランダ、スペインの科学者によって１９９０年代後半の同時期に発見された。以後10年ほど、そこに絡む生化学の理解が段階的に進んだのち、リトアニアのヴィルジニュス・シクシュニスという研究者が、この「ゲノム編集」機構をほかの細菌に移せることを示した。そして２０１３年、ハーバードとＭＩＴの研究者が、単純な細菌という域を超えた複雑な生物のゲノムにこの知見を応用する方法を突き止めた。植物や昆虫はもちろん哺乳類にも使えるような、きわめて効率の高いゲノム編集技術が基本的に実現されたのだ。[5] ＣＲＩＳＰＲの活用により、ゲノムを正確な位置で切り出し、その取り除いた部分を、有用な働きをさせるべく選んだ遺伝子配列に置き換えられるようになった。たとえば、農作物のゲノムを編集して疫病に強くしたり、原因となる遺伝子を特定できる病気を標的にして有害なＤＮＡを取り除いたりできる。ＣＲＩＳＰＲテクノロジーの改変版のひとつでは、遺伝子を切り取る代わりに、遺伝子のオン／オフを切り替えたり、遺伝子に刺激を加えたりおとなしくさせたりして、遺伝子の発現を調節できる。

となると、ジェニファー・ベックが病気に強いアメリカシロゴヨウを求めて急な山腹を登らなければならない日々は、このテクノロジーの発展によって終わりを告げようとしているのかもしれない。さび病への耐性ができるような遺伝子（ないし遺伝子一式）が特定されれば、CRISPRというテクノロジーを使って、その有用な遺伝子を生殖細胞系に直接挿入でき、優れた木を実験室環境で育てられるようになるかもしれない。時間も労力もかかる野外調査に出かけ、松かさでいっぱいの袋を担いで実験室に戻る、という必要はなくなる。研究者は自宅にいながら、ゲノム関連のテクノロジーを使って、実験室にすでにある木を操作できるようになる。

精度の高いゲノム編集で実現されたこの大きな飛躍によって、八方塞がりの生物の命を救う可能性を秘めたあらゆる改変が俎上にのぼる。たとえば、標高の高い山地の水流で温度上昇への適応に苦労しているブルトラウト〔イワナの一種〕に、暑さに強い遺伝子を挿入するとか。ほかにも、何世代にもわたる近親交配の悪影響で絶滅が危惧されているクロアシイタチに、博物館や冷凍保存施設の標本から抽出した遺伝子を挿入して遺伝子の多様性を高めたり、クロアシイタチの餌となるプレーリードッグにとっても脅威である森林ペストに強くなるよう、2種まとめて改変したりすることが考えられる。蜂群崩壊症候群の脅威にさらされているミツバチになら、巣に寄生虫を寄せつけないことが確かめられているコロニーから衛生面で潔癖になる形質を抜き出して加えることで、遺伝子を強化できる。白い鼻症候群に悩むコウモリや、ツボカビにやられる両生類や、顔面腫瘍性疾患に苦しむタスマニアデビルは、どれも理論上は恩恵のある遺伝子をCRISPRで挿入してもらえる。保全論者に彼らのクリスマスのお願い事リストをかなえるテクノロジーがもたらされたと言えるかもしれない。

ゲノム編集は一度にひとつのゲノムにしかできないのだが、「遺伝子ドライブ」と呼ばれる新しいテクノロジーを使うと、集団の増殖が速い場合に、改変された形質を野生の集団内に素早く広められる。あるバージョンの遺伝子ドライブでは、望ましい形質の遺伝子を持たせたCRISPR編集機構を、生殖可能な個体の生殖細胞に埋め込む。改変を受けた個体の交配相手にその有用な形質がなかった場合は、生殖細胞に埋め込まれたCRISPRが、その形質の遺伝子を持っていない染色体を編集する。これで、新たな個体はその遺伝子をどちらの染色体にも持って次の世代へ受け渡せるようになるので、何もしなければ50パーセントである遺伝確率が格段に高まる。加えて、機能するCRISPR編集機構も引き渡される。こうして、受け継がれる確率がほぼ100パーセントで繁殖が続くことから、編集機構と望ましい遺伝子が野生の集団内で素早く広まる。

CRISPRと遺伝子ドライブは、「農業や家畜以外の分野で機能する初めての遺伝子改変」というニンジンを目の前にちらつかせる。野生動物の遺伝子構成の改変という、これまで実験段階に近づく気配さえなかった技術に、実現の目が出てきたのだ。繁殖の速い野生動物ほど、遺伝子ドライブを使って集団内で形質をより速く広められる。たいていの大型哺乳類は生殖年齢に達するのに時間がかかり、遺伝子ドライブには向かない。それに引き換え、昆虫ははるかに有望だ。人道上の強い動機に基づくあるプロジェクトでは、マラリアの原因となる寄生虫を運べない蚊の集団をつくるのに遺伝子ドライブをどう使えそうかを突き止めようとしている。遺伝子ドライブが期待させるのは、野生の自然を直接操作できるようになることだ。この手のプロジェクトに専念しているあるＭＩＴの研究室に言わせれば、「進化を彫り込む」機会なのである。

対極的な観点

19世紀イギリスの政治哲学者ジョン・スチュアート・ミルはかつてこう記している。「自然」という言葉に対しては２つの考え方がある。その片方での「自然」は、自然法則と矛盾せずに地球上で起こる物事すべてだ。超自然ではない物事すべてとも言える。この意味では、クマも、滝も、畑で育てられているアメリカシロゴヨウの苗木も、ヘムロックツリーの息の根を止めている国立公園局の職員も、ＣＲＩＳＰＲで改変された蚊も、すべて自然の一部である。どれも物理法則を超越しておらず、超越するには神か天使にでもなる必要がある。

もう片方での「自然」は、地球上で起こるあらゆる物事のうち、人類の介入による結果として起こったもの以外である。人類とそのあらゆる所業は１つめでは文句なしに自然であり、２つめでは何ひとつとして自然とは見なされえない。よって、２つめに照らせば、どの家も、どの車も、どの菜園も自然ではない。人工生物は自然ではない。ジェニファー・ベックがクレーターレイクで行っている活動や、ゲノム編集の研究者による活動は、定義から言って自然ではない。ミルによる区別は、人類が関わる自然の２つの対極的な観点を捉えている。１つめは何もかもすっかり自然の範疇に入るとし、２つめは何もかも自然とは別物だとする。

クリス・トーマスもジェニファー・ベックも、ジョン・スチュアート・ミルのことなど気にもかけないかもしれないが、何をもって自然とするかに関してミルの１つめの見方を採用すれば、哲学上の立場は確実に強化されるだろう。その場合、人類による計算ずくの介入、たとえばチョウを入れた箱を積み込んだ車を北へ走らすとか、さび病に強いゴヨウを苗木畑で育ててから山腹へ移植するとかは、チョウやゴヨウの自然さにとってマイナスの材料にはならない。元の生息域でも自然であり、人手で新天地に移されてからもやはり自然だ。

一理ある主張だと言えよう。人類はダーウィン進化の産物である。いったいなぜ私たちの営みが、それ以外の自然の営みから突出しているというのか？　私たちは生物学的存在として、進化から授けられた能力や才能をいくらか活かしているだけだ。不自然なところは何もない。活動の背後にある動機が、自然の一部を搾取ないし破壊することではなく絶滅から救うことなら、その感は一段と強まる。

自然さに関するこの一般論には惹かれるところがあるが、負の側面もある。この立場を取ると、人類のやることなすことすべてが文句なしに自然だと言えてしまう。森林を切り拓いて舗装することは？　自然。ビールの空き缶を小川に投げ捨てることは？　自然。有害廃棄物の投棄場所をつくることは？　きわめて自然。この惑星の気温を上げて、膨大な数の種を絶滅に追いやることは？　それはもう実に自然。ミルの示した1つめの網羅的な選択肢は、不自然であることを根拠にみずからの振る舞いをとがめる能力を私たちから奪い去る。定義上、人類の行いは必ずや自然の一部となるのである。

対する2つめの見方はビル・マッキベンによって採用されており、彼は自然とは人類から独立していてこそ自然だとした。自然界は、その定義から言って、人類の手が加わっていない世界でなければならない。自然が人類からの独立性を失ったなら、その自然らしさは消滅する。

マッキベンの立場の問題は、人類の影響は今や地球全体に及んでおり、地球上に残る何をとっても2つめの考え方はもはやそぐわなさそうなことだ。後先考えずにまき散らさせている水銀から、世界中で排出されている温室効果ガスまで、人類の影響がいかに幅広く及んでいるかをふまえれば、手つかずの自然にあくまでこだわるのは時間の無駄に見える。私たちが完新世を後にしたことは明らかなので、これからは、もう望むべくもない手つかずの状態を想像するのではなく、この惑星をどう人類向きにしていくのが最善なのかを話し合う必要がある。エマ・マリス、フレッド・ピアス、クリス・トーマスといった新進の先駆者たちが推し進める介入主義の発想は、どれもこの信条の反映だ。レオポルドの考え方に沿って手つかずの自然の尊さを熱く語ることは、現実からどんどん乖離していくように見えだしている。

人類はみずからに、あらゆる生態系に手を加える倫理的権限を付与できる。この発想にE・O・ウィルソンのような従来の環境保護主義者は怒りをあらわにする。抑制を求めるマッキベンの旗のもとに結集する彼らは、どこかをそのままにしておこうという謙虚さが私たちにはないのかと問いただす。もう十分破壊してきたのではないのか、と。

それに対し、マリスはこう反論する。少しでも触れれば土地を取り返しがつかないほど汚《けが》してしまう、と人類を自然と切り離して考えることのほうこそ、謙虚さではなく傲慢さの証だ。自然界を形づくったのと同じ進化の過程から出現した種として、私たちはほかと違っているわけでも特別なわけでもない。生態環境が損なわれている世界において、私たちには救いたいと思っている種に成り代わって介入するという覚悟が求められている。傍観を決め込んで自然をその運命に任せたら、それこそ「手を血で染める」ことになる。意図的な生態系づくりは現実に即したことをしているだけではない。倫理的に求められていることをしているのだ。

かく言うマリスも、ここまでさしでがましい方針に抵抗を感じることがあるのは認める。いまだに強く残るある種の直感に反するからだ。「私たちはカリフォルニアコンドルやアメリカシロヅルといった種を崖っぷちから救った。その過程で、指人形の母親として、あるいは移住の案内役として彼らの生涯に入り込んだのだが、情が移って、彼らの威厳や野生の喪失に苦悩することもある」。それでも、彼女の回想はこれでは終わらない。「だが、そんなときは自分にこう言い聞かせる。威厳だの何だのは私が重荷に感じているだけで、彼らの問題ではない。彼らはただ生きたいのだ[6]」

人類による気候変動などの悪影響に脅かされている種が心配なら、お気に入りの生き物ができるだけ多く棲みやすくなるように生態系をつくり込むつもりでいなければならない。マリスの側につく者たちは、それこそが気候変動に対応した保全へのアプローチの本質だと言う。

今の時代にふさわしい環境管理には、人類による自然への干渉を差し控えるのではなく増やすような意思決定が必要となる。そんな発想は保全の様相を一変させる。「手を引く」ことがもはや望ましい選択肢ではない今となっては、「自然を人類の干渉から守り、人類からすっかり独立しているからこその畏怖の念が呼び起こされるようにする」という考え方は非現実的だ。そうしたいところをぐっと堪えなければならない。

声を大にしつつある自称エコモダニストたちは、そこは私たちの居場所として悪くないと主張する。人類による設計でつくり上げられた「ニューネイチャー」には、畏怖の念を呼び起こす余地がふんだんにあるだろう、と。ピアスは「ニューワイルド」に魅了されていくうちに、自然はこれからも主体的かつ創造的であり続けられることに気がついた。実を言うと、ピアスは差し出されている可能性の半分も捉えていない。新しいことに積極的なまた別の分子生物学者は、既存の種を救うどころではない難題に取り組むことで、必ずや畏怖の念を呼び起こせると確信している。彼らは絶滅種の復元を画策しており、ケナガマンモスを再び目前にする日が近々来るかもしれないと考えている。

絶滅種の復元は許されるか

介入主義者も多々いるなかで、その極めつけであるいわば絶滅種復元主義者ないし絶滅逆行主義者は、単に種を移転して生態系を再編できるという可能性ばかりか、絶滅種を復元させて失われた生物多様性を取り戻せるという可能性に対しても積極的だ。実は、今の合成生物学でゲノムづくりに利用できるその同じ技術が、絶滅した動物のＤＮＡの再構築に使える。絶滅が永遠である必要はない、と彼らは言う。

イエスのおかげで生き返ったラザロが連想される、そうしたプロジェクトをやり遂げるには、絶滅種のＤＮＡがあればいい。実際、リョコウバトやブカルド（ピレネーアイベックス）のような種の絶滅はわりと最近であり、科学的関心から組織の断片が意図的に保存された。[7] 幸運にも全ゲノムを手にしているなら、理論上はそれをそっくり、現生の近縁種の卵細胞に本来のＤＮＡを取り除いたうえで移植できる。この場合の近縁種としては、ブカルドなら飼い慣らされたヤギ、ケナガマンモスならインドゾウでいけるかもしれない。この操作に用いる「体細胞核移植」と呼ばれる技術はすでに確立されており、ヒツジ、ネコ、シカ、ウシ、ウサギ、ウマ、イヌのクローンづくりに採用されている。絶滅した動物のクローンをつくるといっても、基本的には、実績あるクローン技術を用い、現生の動物の卵《らん》を使うことになる。

DNAの挿入された卵細胞が何度か分裂したら、近縁種の子宮に着床させて、通常の妊娠を進めさせることができる。そうしてできた胚が代理母の体内で妊娠期間を生き延びたなら、その結果として絶滅種にきわめて近い生き物ができる。2003年、「絶滅した」ブカルドがこの手法でヤギの母親から生まれてきた。残念ながら肺に重大な障害があって、子宮を出てから10分しか生きていられなかった[8]。

絶滅した動物の全ゲノムがなくても、どのような姿形をしていたかは明らかにできるかもしれない。ケナガマンモスやホラアナグマのような絶滅した哺乳類では、それなりの量のDNA断片を永久凍土や洞窟の奥から抽出できる。それを現生の近縁種のゲノムと詳細に比較することで、進化生物学者は絶滅した動物のゲノムに非常に近いものを割り出せる。47億という膨大な数の塩基対を要するにもかかわらず、ケナガマンモスのゲノムの見取り図はもう用意ができている。

鳥類や哺乳類の全ゲノムは非常に長く、クレイグ・ヴェンターが取り組んでいる酵母菌や細菌とは比べものにならないことから、それを合成するための最善の戦略は、近縁種をたたき台とし、CRISPRゲノム編集テクノロジーを使って、最も特徴的な部分の「現生する動物」のゲノムを、対応する「絶滅した動物」のゲノムに置き換えることとなる。たとえば、ケナガマンモスのカーブした牙を記述している遺伝子をインドゾウのゲノムに挿入するのである。ほかにも、ケナガマンモスの毛深い皮膚の遺伝子や、背中のこぶの遺伝子、寒冷気候における体温調節の遺伝子を挿入することが考えられる。製作過程のケナガマンモスゲノムの中核は変わらずインドゾウのゲノムなのだが、編集が進むほど、絶滅した近縁種のゲノムに徐々に近づいていくのだ。

鳥類の場合には難易度がもう一段上がる。鳥類の胚発生は殻の固い卵の卵黄中で行われるうえ、卵は卵管内を絶えず移動していくからだ。自然の胚は細胞が数百しかなく、卵黄に包まれており、絶えず動いていることから、クローン胚と置き換えるのが非常に難しい。リョコウバトなどの絶滅した鳥類を念頭に開発が進められている有望な代案では、絶滅種の生殖器にあると予想される細胞のDNAをつくり、それを現生種の胚に注入する。うまくいけば、注入された細胞が生殖腺へ自然に移動し、そこで増殖を始める。現生種の個体の生殖腺が、絶滅種の生殖細胞の分裂に忙しく働くことになるのだ。

こうした普通ではない改変のなされた個体はキメラとなる。古代ギリシャ神話の頭がライオンで体がヤギの生き物のごとく、このキメラ鳥は2種の混ぜ合わせになる。そのDNAの大半は現生種からのものだが、次世代へ受け渡すDNAは絶滅種のものだ。このキメラ2羽が交わると、絶滅種の現生版にきわめて近いものができる。生まれてくる雛の全ゲノムは絶滅した鳥のものだが、両親はともに別の種だ。前の章で紹介した合成細菌づくりの場合とまさに同じで、合成生物学を絶滅種の復元に用いると、ダーウィン説の遺伝の原理に人類によるひねりが加わることになる。

使う技術が哺乳類向けの全ゲノム移植方式であっても、鳥類向けのキメラ方式であっても、生まれてくる生き物は絶滅種の完全無欠の個体ではない。ほかにも絡んでくる要因がいくつかあるのだ。たとえば、２００３年に生まれた復元のブカルドは生粋のブカルドではなかった。別の種の胎内で育ったため、絶滅した動物のゲノムと代理母という2因子の影響を受ける胚発生になったからである。ケナガマンモスの胚は非マンモスＤＮＡをいくらか、宿主のインドゾウから胎内にいるうちに拾う可能性がきわめて高く――マイクロキメリズムと呼ばれる現象だ――ごくわずかにケナガマンモスらしくない子ができることになる。

また、自然はこちらを戸惑わせるような役割も演じる。ケナガマンモスが生まれたなら、インドゾウの親はさっそくインドゾウの流儀で子育てを始めることだろう。生まれてきた子はたいそう奇妙な雑種、２種の交わりで生きる個体となる。その遺伝子は大半が絶滅種のもの、その出生環境は現生種のものだ。新生児はこのどちらの因子にも反応するだろう。

アイデンティティがやや混乱をきたすと難癖をつけられたところで、絶滅種復元主義者はえてして動じない。人類が変化を招いたこのポストレオポルドの時代において、かつての様子が正確に再現されて自然の純粋さが保たれるような保全への執着はすでに緩んでいる。絶滅種の復元を最も声高に支持するひとりにして、『全地球カタログ』の創刊者、環境企業家でもあるスチュアート・ブランドは、そのことをこう表現する。「結果は完璧にはなりません……が、完璧に十分近いでしょう。自然も完璧ではありませんし[9]」

今後、絶滅した動物のゲノムの最も特徴的な部分について知識が増えるにつれ、完璧ではない個体の生殖細胞を体系的に微調整できるようになり、そうしてできた種は目指す動物らしさをいっそう増していくだろう。戻し交配という、望ましい形質を持つ個体を意図的に交配する昔からの手法も役立つに違いない。テクノロジーが向上し、世代が進んで絶滅種の遺伝子がいっそう増すにつれ、復元される生き物は数世代のうちに失われた種にだんだん近づいていくだろう。ブランドによれば、ケナガマンモスの1世代は20年ほどなので、ケナガマンモスを復元するなら、科学者は1世紀以上かかるプロジェクトに取り組まなければならない。だが、時間と資源を投じる価値が見いだせるなら、更新世末期に絶滅した巨型動物類のうち人類によって全滅されられたなかから選ばれた種が、適切な生息地を再び闊歩できるようになる。生物多様性は高まるし、そもそも全滅させたことに対して人類が抱え続けている罪悪感が少しは和らぐ。絶滅種の復元はブランドの目に、私たちがかつて犯した生態学的な罪を一部償う手立てになりうるものと映っている。

テクノロジーそのものの内容や展望がどうであれ、絶滅種の復元に絡んでは倫理的な問題がすでに大きな論争を巻き起こしている。ブカルドの事例からもわかるように、異種間クローンにはほぼ必ず遺伝子欠陥がついて回る。テクノロジーの問題が解消される過程で、つくられる各個体は復元の試みによってほぼ間違いなく辛い思いをさせられるだろうし、思いがけない子を育てることになる代理母も、快くないうえおそらくはダメージを被るような経験をすることになるだろう。ケナガマンモスをつくるためのテクノロジーを取り上げた『マンモスのつくりかた』（筑摩書房）の著者であるベス・シャピロはこう語っている。「ゾウは飼育に向きませんし、介助出産で苦戦しますし、もっとゾウを産ませてやるべきです[10]」

さらに、生まれてくるケナガマンモスの最初の数頭は、同胞と何千年と隔てられて、孤独なことこの上ない生き物となる。また、駆り出される動物に同情的な目で見れば、哺乳動物の受精卵からゲノムを取り出し、実験室でつくられたゲノムに置き換えるというのも、人類による贖罪というより、不愉快な手口の遺伝子乗っ取りに見えてきだしかねない。

生態学者がもうひとつ心配しているのは、失われた種を戻す先となる生態系に付いて回る運任せの面だ。その種をもう支えられないかもしれないことである。これは管理された移転という活動につきまとう「生態学的ルーレット」と呼ばれる懸念に似ている。絶滅種を導入すると生態系に何が起こるかなど、神のみぞ知るだ。ブカルドなら、戻される先は最近いなくなったばかりの生態系だが、ホラアナグマやケナガマンモスの場合は話が違う。かつての状態から大幅に、それも主に人類の引き起こした気候変動という仮借なき力で変わった環境に置かれれば、どちらも基本的には外来種ということになる。

適切な生息地の問題に今から備えておこうと、ロシアの生態学者セルゲイ・ジモフが、マンモスの復元を念頭に置いてシベリアで「更新世パーク」づくりをもう始めている。ジモフは、苔むした森林ツンドラでジャコウウシ、トナカイ、ヤクートウマなどの草食動物を放牧しながら、このランドスケープがステップ（草原）に戻ることを願っている。このステップにおける生態系が機能していた頃に、ケナガマンモスはまだ生息しており、それをせっせと形づくっていたのだ。ジモフの長期的な目標は、絶滅したケナガマンモスの最初の数頭を戻すのにふさわしい更新世ランドスケープを復元することであり、うまくいけば今から1世紀ほどで用意が整う。

復元された種に生息地を用意できるにしても、今苦労して生きている種がほかにどんな代償を払わされるのかが定かではない。予算に乏しい保全論者が心配するのは、絶滅種の復元にかかる費用、そして、注目の集まるわずかな種類の動物にテクノロジーが流れ、その皺寄せが派手さは劣るが生態学的にもっと重要かもしれない目の前の絶滅危惧種に及ぶという成り行きだ。また、絶滅種の復元が心理的なセーフティーネットと化し、今そこにある絶滅の危機を世間がまともに取り合わなくなる可能性も不安視する。遺伝学の魔法を使ってあとで呼び戻せるのに、なぜ絶滅危惧種を救うのに多額の資金を投じるのか？　そう思われはしないかというわけだ。

それに対し、絶滅種の復元を唱える者たちはこう反論する。注目を集めそうな数種の命を蘇らせることができれば、自然界に対する世間の関心が一気に高まる。罪悪感がいくらかやわらぐだろうし、楽観的な空気をいくらか醸し出すかもしれない、と。実現したら、合成の時代の地球管理に絡んでパウル・クルッツェンがよく使う言い回しを借りれば、確かに「胸が躍る」だろう。その姿が５０００年も見られていなかった生態系でケナガマンモスと面と向かう機会など、それはもう絶対に見逃せない。

絶滅種の復元を巡る議論にはどちらの側にも理がある。絶滅種復元の倫理は複雑だ。だが、動物の幸福、生態系のバランス、保全の優先順位に関する疑問を脇によけると、その背後から合成の時代ならではのもっと重大な問題が立ち現れる。絶滅種の復元は、私たちの進むべき方向について大きな選択を迫る。ナノテクノロジーや合成生物学と同様、絶滅種の復元のような介入主義の技術は、人類による設計を、かつて自然界にその姿形を与えたプロセスの奥深くにまで持ち込む。世界が今の姿になる過程には、自然選択による進化とそれに伴う絶滅が関与している。これは地球の最も基本的な代謝プロセスの一部であり、それが無数の世代をかけてこの惑星を形づくり、そこへ私たち誰もが生まれてきた。

人類はこのプロセスを、偶然にせよ意図的にせよ、特定の方向へ少し押す程度のことはいつでもしてきたが、生物共同体をここまで根底からつくり変えることを目指して意図的に取り込んだことは一度もない。自然をそこまで人工にしたことはないのだ。絶滅種の復元は人工化の極端な形態のひとつと言える。なにしろ、この惑星上の種の組成を調整して、私たちにとって最適だと私たちが判断した状態にするというのだ。現生種の組み合わせを変えるどころの話ではない。絶滅種の復元はどの新しい——あるいは古い——種をどこに配するかという選択であり、生態系は人工物の度合いをますます高め、私たちの選択による産物となっていく。私たち以外であることを譲れない自然は、視界から次第に消え去りつつある。

ジョン・スチュアート・ミルは自然に関する19世紀の考察において、人類が自然のすっかり内か外かだけを論じていたのではない。彼は自然が私たちの生の大事な土台として機能していることも説いていた。この土台は「私たちの思索と大志のゆりかご」として機能していると彼は言う。ミルの理解によると、私たちの生まれ出た世界は選択の余地のない重要な背景幕をなしており、人類は何千年何万年とそれを背にアイデンティティや自己感覚をつくり上げてきた。
環境保護ライターのスコット・ラッセル・サンダースは、『オリオン』誌に掲載されたエッセイにこの趣旨と相通じることを書いている。

肌に感じる太陽の熱、一陣の風、雷や雨の音、川の勢いや海のうねり、湿った土のにおい、葉や花が開く光景、針の穴を思わせる星の光、息の音やこの胸の鼓動。こうした感覚から生まれてきたのが、物事の究極の自然さに対して人類が永らく抱いてきたイメージであり、あるいは書物、民話、有史以前の岩石彫刻、詩、絵画といった象徴的な表現を通じてこの世界に浸透している心象風景である。[11]

「物事の究極の自然さ」はこれまで一貫して、私たちではない何かに由来していると考えられてきた。その根源的な仕組みは大いなる地質学的な力、生態学的な力、あるいは神聖な力に支配されていた。私たちはそれをありのまま受け入れ、その逃れられない包囲の中で居場所を見つけるしかなかった。サンダースやミルのような者にとって、この自然のゆりかごは生の意味への入口にほかならない。

生態系をつくり変えるという今日の試みは、地球と人類のどちらにとっても新たな経験だ。管理された移転、遺伝子ドライブ、絶滅種復元の道を選べば、この惑星はその時点でもはや私たちの生まれ出たランドスケープや生態系ではない。私たちがつくることを選んだ人工システムとなるのだ。これは都市、郊外の居住空間、農業環境といった身近な環境だけの話ではない。野生についてもである。

遺伝子ドライブの先駆者ケヴィン・エスヴェルトとその同僚には、具体的に何が懸かっているのかが見えている。「野生集団の改変を通じて生態系を管理する能力は、私たちと自然との関係において深遠な意味合いを持つようになる」[12]。私たちの大きなゆりかごは、自然ではなく私たちが設計したものになるのだ。哲学的あるいは宗教的な観点から見ると、この変化は何やら不穏だ。人工物による自然の置き換えはともすると行き過ぎになりえて、サンダースはその危険性をこう警告する。「人工物の世界は、どれほど巧妙で便利でも、それが私たちの知る唯一の世界になったなら病的になる[13]」

この現状は要するに人口の増加や人類の影響の増大が私たちに分与した権限だ。そう考える生態学者や土地の管理担当者が増えている。この地球をよくできた人工物にすることしか選択肢はないというわけである。一部評論家の言葉を借りれば、自然史と人類史とを別扱いする時代はもう終わった。自然は、ジェデダイア・パーディー〔『アフターネイチャー（*After Nature*）』などの著作で知られる法学者〕の心中では、もはや自然とは言えなくなった物事の一覧に加えなければならず、何につけ私たちが采配を振るわなければならない。

だが、ここではぼやけた倫理がまかりとおっている。ほかに選択肢がないという主張には論理に大きな飛躍がある。何もかもが今や人類に影響されているというのはそのとおりかもしれないが、だからといって、自然界のあらゆる側面を今や人類が決める必要があるということにはならない。現に、人類による影響にもわりと取るに足らないものがあり、自然が今なお人類の意図とは概して独立に営まれており、人類の役割が無視できる程度に留まっている場所は多い。そうした場所はさまざまな文化や宗教で尊ばれており、環境保護に賛同する億単位の人々がこの状態を保とうと尽力している。

それに、意図的な変化と不慮の変化はまるで違う。私たちは環境汚染、非在来種の偶発的な導入、気候変動という形で、思いがけなく世界の大部分に影響を及ぼしてきたかもしれないが、私たちが地球全体を意図的に形づくるという営みに乗り出したことはない。乗り出すなら、まったく新たなレベルの関与となる。すでにそう選択したわけではまだなく、そうせざるを得ないわけでもなさそうだ。人類が地球規模のあらゆる変化をあらかじめ計画するという話は前代未聞で、未来の惑星工学研究者の仕事には高いハードルが設定される。

このハードルを越えられるかどうかを考える際、念頭に置いたほうがよさそうなことがある。生物界にはそもそも野性的な面があり、その出番を手ぐすね引いて待ち構えていることだ。ダーウィンが指摘したとおり、動物の姿形や振る舞いは時間とともに絶えず変わりゆく。彼はそのメカニズムこそ理解していなかったが、生物界が予想もつかない形で絶えず移り変わるものであることは知っていた。この傾向が合成の時代になっても続くであろうことは確実だ。生物界はこれからも絶えず、遺伝という現象に付随するランダムな変異の対象である。予測できない面がこうして残ることから、未来の生態工学研究者は必ずや予期せぬ困った事態に遭遇するだろう。

ネアンデルタール人を蘇らせる？

物議を醸す絶滅種の復元に負けず劣らず好奇心をかきたてているのが、遺伝学におけるネアンデルタール人DNAの配列決定を巡る議論だ。ネアンデルタール人は現生人類の近縁種で、約4万年前に絶滅したと考えられている。スウェーデン人研究者のスヴァンテ・ペーボは、ヒトゲノム計画に感銘を受けたものの、現生のホミニド〔「ヒト科」の意で、ヒト、ゴリラ、チンパンジー、オランウータンなどが属する〕ではなく絶滅したホミニドへの関心のほうが強く、2000年代の初頭からドイツのマックスプランク研究所で研究チームを率いて、ネアンデルタール人の全ゲノムの配列決定を目指した。チームはその成果を2010年に発表し、ネアンデルタール人ゲノムの初期ドラフトを公開したほか、３年後に詳細な配列を公開している。

ペーボの発見によると、アフリカ人を例外になんと現代人の大半がネアンデルタール人のDNAを持っており、その割合はゲノムの１〜４パーセントにのぼっていた。現生人類とネアンデルタール人がヨーロッパやアジアでランドスケープを共有していた２万年ほどのあいだに、種を超えたロマンスが数多く繰り広げられていたのだ。ネアンデルタール人の一部の遺伝子配列には十分な利点があり、現生人類でも選択され続けているのである。

ペーボの現在の目標はシンプルで、現代人とネアンデルタール人とでゲノムを比べ、何が差を生み、何が彼らではなく私たちをかくも支配的な種にしたのかを理解することだ。その先へ進むとしたら、この比較分析とCRISPR編集機構をもとに、現生人類のゲノムからネアンデルタール人の40億塩基対ものゲノム配列全体を再構築することが視野に入ってくるかもしれない。その暁には大きな倫理的決断を迫られることになる。

ケナガマンモスやブカルドといった動物の復元に使うことが提唱されている体細胞核移植という技術は、原理的にはネアンデルタール人にも使える。この線で進めることにした場合、代理の親となる種が何になるのかは言うまでもない。絶滅したケナガマンモスの復元には胸躍るだろうが、ネアンデルタール人の復元となるとまったくもってぞっとする。

踏み切る前には躊躇するに違いない。哲学的な問題がいろいろ持ち上がるだろうが、現実的な問題も多々ある。いったい具体的にどう進めるというのだ？　冒険心に富んだ女性を募集し、排卵された卵にネアンデルタール人DNAを移植してもらうのか？　それとも、改変した生殖細胞を誰か2人の胚に注入し、後日協力してネアンデルタール人を生む営みに当たれるキメラになってもらうのか？　どちらにしても、そうしてできた子は、ホミニド史上4万年ほど同胞と隔てられた孤児という、何とも異様な人生をスタートさせることになる。

どの種を保存するのか

気候ストレス下の世界においてどの種をどこで保存するかという選択の必要性はもうそこにある。アメリカシロゴヨウやブルトラウトなど低温に適応した種にすれば、よからぬ兆しはすでに現れているのかもしれない。私たちは現段階であまりに大きな変化をもたらしてしまっており、手つかずの自然の秩序が無傷のまま昔の姿に忠実に残る未来を想像することはかなわない。すでに起こった変化がなかったとしても、気候変動は将来的に確実とされており、私たちにはどの種の保存に投資するのかという苦渋の決断が迫られている。また、気候変動に対応するどういった技術なら意にかなうのかという判断も迫られている。

飼育下での繁殖や苦労している個体の移転を抜きにしては種の保存がままならない場合も出てくるだろう。生物要素と非生物要素をいろいろと組み合わせて慎重にまとめ上げ、条件変化への緩衝帯を設けることで、気候変動に強い生態系をつくり上げることも考えられる。適切な区域にビーバーを再導入すれば、夏の暑い時期でも、乾燥の進む生態系に優れた貯水池をつくることができる、という具合だ。気候ストレス下の世界において、保全目標を支えるような環境をつくるべく、新たな水準の生態工学に乗り出すことも考えられる。遺伝子ドライブを採用して野生種のＤＮＡを改変することも、保全にとって、そして人道面からも、それなりに魅力的に映るかもしれない。ゲノムテクノロジーを用いた絶滅種の復元、さらにはまったくの新種の設計については、次なるフロンティアとして足を踏み入れるかどうかの判断を迫られるだろう。

考えられるこうした選択肢のどれにおいても、私たちの受け継いだ神聖なる繊細な自然という考え方は却下される。合成の時代のほかのテクノロジーの章でも触れたが、私たちは身の回りにあるもので満足したりはせず、その眼鏡にかなうように自然をつくり変える。この役割を意図的に地球規模で引き受けることは、人類にとってまったく未知の領域だ。私たちにはもうあと数年、こうした未来の望ましい部分と却下するかもしれない部分とを共通認識として決める時間がある。この件について率直で開かれた対話がなされないなら、残される興味深い問いはただひとつ、私たちがこの未踏の道をどれほど先までどれほど無謀に進むのか、だけとなる。

第7章 都市の持つ進化の力

ナノテクノロジー、合成生物学、管理された移転、絶滅種復元は揃って、人類による設計を物事の自然の秩序にこれまでになく深いレベルで刻みつけることを請け合う。どれも合成の時代に実現しうる驚異的なテクノロジーの代表格であり、地球の代謝の深くまで手を延ばし、その仕組みを私たちの設計に従って大幅に構成し直す。最も根源的なレベルで自然の姿を変えていくこうしたテクノロジーが急速に成長しており、私たちに新たな類いの力を授け、オーストラリアの科学ライター、ガイア・ヴィンスの言う「認知の大転換」を求めている。

ただし、私たちが今日足を踏み入れている由々しき未知の領域に、華々しい新技術が例外なく絡んでいるわけではなく、地球史の新時代をうかがわせる現象のなかには、もっとゆっくり進む身近なものもある。それを引き起こしたのは、一抹の不安を覚えるような新技術の発展ではない。それなりの時間をかけてつくり上げられてきた、時流の成り行きの積み重ねだ。性格の違うこちらのタイプの変化のなかには、「よく働く社会的なホミニド」という私たちの性《さが》による必然の産物に過ぎないものもある。技術的に難しいところはほとんどなく、はるかに世俗的だ。ところが、ナノテクや分子生物学の研究室などにおける新たな開発を必要としないのに、変化をもたらす力は引けを取らない。そうした現象のなかでもとりわけ影響力の強いのが都市化だ。

２００7年のある日、世界のどこかの都市で子どもが生まれ、都市に暮らすホモ・サピエンスの割合が過半数に転じた。都市は地表面のわずか2～3パーセントしか占めていないのに、人類の半数以上が都市で暮らしていることになったのだ。後戻りはありえない。人類の生活環境と言えば、今や避けがたくますます、都市で暮らす人の環境のことである。

都市化する生き物

人類はアフリカのサヴァンナで進化した。私たちは20万年ほど、草原や低木の森に暮らし、狩猟採集を営み、毛皮と木と草で住居をつくっていた。自然の気まぐれに翻弄され、移住を繰り返していた。周囲を歩き回る行動様式の妨げとなる氷や水などの往来に合わせて、新たな大陸へと広がった。やがてそこで定住を始め、数種の作物を植え、互いの身の安全や労働の効率、そしておそらくは——そう願いたいものだが——気の置けない仲間といる喜びという恩恵を享受するために、共同体を形成して徐々に大きくしていった。私たちはその歴史の大部分において、足もとに土を感じ、天気や季節の変化を直接肌で感じ、ランドスケープを共有する動物や昆虫とじかに対面していた種だった。生きとし生ける世界に絶えずさらされていたことで形づくられ、選ばれていったのが、独特の生理機能、振る舞い、性向、精神性を持つ私たちだった。

２００７年にあの子が生まれたことをもって、ホモ・サピエンスは進化を遂げた場を出た種となった。都市での暮らしはいよいよ私たちの標準になりつつある。１８００年、都市人口はわずか2パーセントだったが、１９００年には15パーセントにまで増えており、２０５０年までには80パーセントに達するだろう。進化上前例のない場所に住む人は増え続けている。自然界と日々接する暮らしの感覚的および物理的な側面は、その代わりとなる経験の数々に置き換えられてきた。

田舎暮らしから都市での暮らしへというこの大きな変化を見くびってはいけない。セメント、往来、直角の曲がり角、柵、サイレン、ガラス、街灯が、私たちの五感でますます大手を振っている。先を急ぐ群集が、自家用車やバスで、徒歩やスケートボードで、楽しげに聞こえることもままある都市の不協和音をひっきりなしに奏でている。今では地表面を５０００億トンのコンクリートが覆っており、これは地球の海面や地表の1平方メートル当たりにつき1キログラム前後に相当する。私たちが時間の大半を過ごしている場所をつくったのは、都市計画者や企業の意思決定者であって進化の力ではない。この新たな標準環境には私たちのほかにも、アライグマ、ゴキブリ、カラス、キツネなど、都市に生きる雑多な動物もいて、どれもコンクリートでつくり直されたこの世界で暮らしながら、活かせる物事を要領よく探し出している。都市は進化によって選ばれたわけではないのに、今や人類の過半数の暮らす場だ。ホモ・サピエンスはホモ・アーバヌス（*Homo urbanus*）となった。

都市化には大いに望ましい面が多々ある。都市では、田舎での仕事にありがちな腰を痛めそうな作業からかなり解放されうる。都市は新たな成功の機会をもたらし、人との出会いや交流について事実上無限の可能性を差し出す。日々目の前を行き交う大勢のさまざまな個性を通じて、都市は芸術を育み、私たちにインスピレーションを与える。人口密度の高さが、郊外や地方では望めない効率の良さを生む。その匿名性によって厄介な過去から逃れたい者の逃げ場になりうることや、かつて大失敗した者にチャンスが再び与えられることも、都市での暮らしの魅力だ。

私たちが適応力のきわめて高い種であることはほぼ間違いなく、ひょっとすると最も高いかもしれない。見方を変えると、進化的過去からこれだけ乖離しているゆえの影響をそれと感じられる者はほぼいない。だが、どれほど明らかな魅力があろうと、都市のホモ・サピエンスは今もある程度は場違いの霊長類だ。遺伝子からすれば、私たちは異質な世界に暮らしているのである。庭の茂みからヘビが這い出してくる、クモが部屋でもそもそ動いている、病原菌が水道水に入り込む。こうしたことへの病的な恐れからは、私たちの生物学的出自がわかるというものだ。記録的な吹雪や息苦しい熱波についてコーヒー片手に際限なく議論している様子は、むき出しの自然という概念が都市に住む人の心に及ぼし続けている力の表れと言えよう。環境保護への支援が先進国の都市でよく見られることからは、消えゆく過去への愛着が根強く残っているのがうかがわれる。都市での暮らしにどれほどどっぷり浸かっている人も、心の奥底では野生の影に今なお付きまとわれている。

人類の持ち込んだもののほかにも、繁殖が速くて機を見るに敏な種が、都市という世界にうまく合うようその振る舞いやゲノムを変えつつある。都市のツバメは、人や車をかわしやすくなる短い翼を進化させつつある。ガは、新しいコンクリートの棲み処にいっそう適したカモフラージュとなる新たな配色パターンを手に入れつつある。都市のネズミは数ブロック離れた同類どうしで遺伝子のやり取りができなくなってきており、都市公園ごとに進化の力で異なる亜種にされつつある。スズメやムクドリは、都市の背景雑音に負けないように鳴き声の音程を高めてきた。都市はホモ・サピエンスだけを違う方向へ押しやったのではない。同じことを生物相のその他すべてにもしているのだ。私たちの人間らしさに対して肯定的な貢献が多いことを思うと、都市化の道を進んでいるからといって嘆き悲しむ理由はないのかもしれない。だがこの道は間違いなく私たちの、そして私たちとともに暮らしている種の、本質的なありように止めることのできないシフトを引き起こしている。

人工照明に合わせて

進化上の変化に対する、都市化と関連のあるまた別の因子として、電灯を手にしたことで世界から暗闇が徐々に消えつつあることが挙げられる。『本当の夜をさがして』（白揚社）の著者ポール・ボガードは、「夜の終焉」に当たって彼の深い失望を心揺さぶる筆致で綴っている。彼によれば、地球上の各地に電気が行き渡ったことで、地球史から真の暗闇が奪い去られた。そして、夜がなくなったことから大きな生物学的影響が広がっている。地球の安定した自転をもとに何十億年とかけてつくられた自然のリズムが、過剰な照明によって乱されているのだ。

月へ向かう宇宙飛行士によって初めて撮影された地球の写真は、星の瞬く宇宙を背景とするなんとも美しい青い大理石を私たちに見せた。この絶景ポイントから地球を眺める幸運に恵まれた者は、誰しも人生観を一変させられたものだった。アポロ14号の乗組員だったエドガー・ミッチェルは、その目で見た地球の印象を「神秘的なまでに暗い深海に浮かぶ小さな真珠」という忘れがたい言葉で表現している。この惑星の有限性、目まいのしてきそうな美しさ、そして繊細な姿は、かけがえのない星という感覚が私たちに欠けていたことを初めてはっきり意識させた。ジャーナリストのノーマン・カズンズはのちにこう記している。「あの月旅行で何より意義深かったのは、人類が月に足を踏み入れたことではなく、人類が地球に目を向けたことだ」

夜の地球を撮った最近の写真に写る「真珠」には、都市とそれらを結ぶ交通路から放たれる黄色い光のクモの巣が大きく広がっている。明かりは今や世界じゅうにある。電灯が普及したおかげで、まったくの暗闇になる場所が地球上からますます減っている。白熱フィラメント、蛍光灯内部のガス、無数の発光ダイオードが電気を変換して割り込んできて、闇がランドスケープから追い出されつつある。人工照明の光は本来照らしている場所の何十キロ先まで突き進み、その広がりの速さたるや、照明を普及させている重機のスピードをはるかに超えている。

トーマス・エジソンが初の商用電球を設計するまで、夜間の光源は炎だけで、灯すのに用いられたのは薪、鯨油、石蝋、天然ガスなど、欠点の多い燃料だった。こうした燃料で灯す明かりは不規則に揺れ動き、不完全燃焼による煤でまだらができるのが常だった。利用できる燃料、環境条件、さらには透過力の基本的な欠如のせいで、光の広がりは限定的だった。踊るような炎の光には大勢がいまなお愛着を感じており、思い出に浸りたいときや親密な雰囲気を醸し出したいときには薪やろうそくの明かりを求めている。

こうした制約のある炎の光が白熱灯の光に取って代わられると、夜間の色は漆黒から橙や黄や白のようなさまざまな色合いに変わり出した。夜空には何百万ワットとも知れぬ使われない光が無頓着に広がり、どこの人口密集地の上空にも明かりのドームがうっすらかかるようになった。このドームは、住民の大半が寝ている時刻にさえ、都市の天蓋を開け放っておかない。ボガードがイロコイ族の作家から聞いたところによれば、「夜があるから地球は休息できる」。だが、世界中で電化が進むにつれ、地球の休息は減る一方だ。地球がこうして夜を失ったことが、どうやら私たちにとっても痛手になりつつある。

人体には自然な概日リズムがある。このリズムは、地球が日々自転して光量が増減することに対する調節機能だ。進化は私たちの体の奥底にそんなパターンを仕込んだのである。概日リズムはホルモンの産生、体温や血圧の調節といった重要な機能に影響を及ぼす。植物、動物、シアノバクテリア、菌類は揃って似たようなリズムを持っており、どれも太陽が昇ったり沈んだりすることへのそれぞれによる進化的適応だ。植物の茎・葉は太陽のほうに向かって育ち、タンポポなどの花びらは毎日開いては閉じる。動物は休み、幾つかの細菌は光の予測可能な周期的変化に直接対応する速さで窒素を固定する。光と闇のパターンが変わったなら、生物はただちに適応しないと代償を払わされる。

考えてみてほしい。全哺乳類種の２割強がコウモリだ。闇の世界が大好きなことで知られるこのおなじみの動物のほかにも、無脊椎動物の６割、脊椎動物の３割が夜行性である。つまり、地球を私たちと共有している生き物の多くが、その幸福にとって闇が欠かせない因子となる形で進化してきたのだ。完全な夜行性ではない種もその大多数は薄明薄暮性で、薄明かりのなかで這い回ったり半ば隠れたりして活動する。

地球の大部分で闇と光が入れ替わり、こうした種すべてに影響が及んでいる。波打ち際から上がってきても、浜辺の投光照明のせいで月明かりをもはや頼りにできなくなったウミガメは、人工照明の犠牲者として最もよく知られた存在ではないだろうか。だがウミガメのほかにも無数の種が、ライトアップが進むばかりの惑星に合わせて行動パターンを変えている。
たとえばハヤブサは、ハトやアヒルやコウモリを夜の都市で狩る方法を編み出して、都市での暮らしという新境地に適応している。彼らの夜の狩りに、上空から時速３００キロ以上で急降下するという、その名を世界最速の鳥として轟かせた行為はもう見られない。光輝く都市の照明があるので、夜の待ち伏せに新たな形態を採用しているのだ。ハヤブサは何も知らない獲物の明るく照らされた腹めがけて下から飛んでいき、不運な獲物の目前で体を翻すと、羽根で覆われた胸に死のかぎ爪を突き立てる。都市に適応したホモ・サピエンスと同様、ハヤブサはその遺伝子の想定とは似ても似つかぬ世界で暮らし、食べ、休む術を見いだしたのだ。

ボガードは、概日リズムの乱れが健康に及ぼす影響を調べた研究がほとんどないことに懸念を示す。先進国では、労働力の最大２割が、夜間の大半に起きていなければならないサービス業に従事している。こうした負担を抱えているのは、夜勤の清掃員や医療従事者、24時間態勢の工場の従業員などだ。夜勤の人が、夜に取れなかった睡眠時間を日中に同じ時間だけ寝て取り返せることはめったにない。

世界保健機関（ＷＨＯ）の国際がん研究機関は、夜の終焉による影響の存在を明確に示した２００７年の報告で、「概日リズム障害を伴う交代勤務は、人間に対しておそらく発がん性がある」[1]と結論づけている。メラトニンというホルモンの産生の乱れと関係している可能性が考えられているが、現時点では推測の域をほとんど出ていない。人体に地球の日周リズムと生物学的に深い結びつきがあったとしても、驚くには当たらない。

アメリカでは闇の喪失を懸念する組織が国や地方に増えていて、国立公園局もそのひとつだ。同局は闇が新手の資源として重要だという認識を高めるべく「ナイトスカイチーム」を創設し、一分の隙もない論理と国家承認の文言で「公園の半分は日没後に起こっている」と指摘する。2006年、同局は公園の自然なランドスケープならぬ「ライトスケープ」を守ることを決意した。倫理に訴えかけるような同局の言い回しによれば、ライトスケープとは「人為的な光のない状況に存在する資源および価値」だ。人工の光は今では公園の生態系への「不法侵入」と見なされており、何が人工的で何が自然かという線引きの議論がいまだに尽くされていないことがうかがわれる。

天文学者も見るからにいい顔をしていない。都市からの光害《ひかりがい》によって、星の観測に適した場所は見つかりにくくなるばかりだ。これは多額の予算に恵まれた一握りの専門家だけの懸念ではない。天文学はこの地上で最も広く愛好されている学問のひとつではないだろうか。その愛好者は、何百万ドルもする望遠鏡を駆使する博士号持ちの科学者から、転ばないよう気をつけながら思いきり上を向いて夜空の美しさに見入っている5歳児までと多彩だ。頭上の月や星を見ることは、人類が体験するなかでも自分たちの位置づけが何よりよくわかる事柄に数えられよう。近ごろ明らかになったところによれば、世界人口の3分の1以上が光害のせいで天の川を拝めない。ボガードは（ビル・フォックスの言葉を引用して）、「天の川を決して目にすることがないなら、……自分たちが宇宙のどこにいるのか、どうやってわかるというのだ」と問う。

都市化、そして人工照明の普及は、私たちに限らず地球上のあらゆる種の生を変えている。この変化は小さな単位で一歩ずつ進む。赤ちゃんがまたひとり、インドのスーラトで生まれ、街灯がまた1本、スーダンに立つ、といった具合に。ところが、こうした微小な影響がすべてまとまると、生きとし生けるものにとってまったく新しい現実がつくり出される。言葉やイデオロギーによるつながりのない個人が、それぞれに意思決定を行った。それが少しずつ無数に積み上がった結果がこの変化なのだが、その影響は決して小さくない。

やかましくなる海

広がる都市や明るく輝く夜空に加えて、また別の捉えがたい変化が今まさに始まっている。空気で満たされた身の回りの空間が、携帯電話の通話、インターネットの検索、帰宅後に楽しむストリーミングメディアの再生のための情報を運ぶ電磁波で混雑しているのである。身の回りの空間の見かけは静寂そのものだが、実態はそこからかけ離れるばかりだ。空気は猛禽類の翼を支え、私たちの皮膚を取り巻いているが、私たちには感知できない。その空気で満ちたこの空間が、エネルギーでざわついている。そしてその原因は、日々億単位で製造されるトランジスターによって処理されている、人間の数知れないやり取りなのである。

地球で進むエネルギー絡みのこうした模様替えからは、大海原も逃れられない。大気中の一酸化炭素を吸収して海水が酸性化するにつれ、周波数の低い音が海で弱まりにくくなってきている。別の見方をすると、化石燃料を燃やした直接の結果として、海中で雑音の届く距離が延びているのだ。そのため、雑多になるばかりの音によって海がどんどんやかましくなっている。意思の疎通を音響に大きく頼るイルカやクジラのような海洋生物からすると、聞こえ方がそうして変わるせいで基本的なコミュニケーションすら難しくなるばかりだ。加えて、海氷が溶けて海の上層に差し込む太陽光が増えており、北の海を泳いで通る生き物にとっては以前より明るくうるさい環境ができている。

惑星規模の変化は空高くにも及んでいる。今では大気圏のすぐ上の薄い層が、現役の人工衛星や使われなくなった人工衛星に由来する大量の金属やシリカで切り裂かれている。現在、50万個を超える宇宙ごみがＮＡＳＡによって追跡されており、その多くが時速２万７０００キロ以上という猛スピードで移動している。青い大理石を宇宙空間から撮ろうという昨今の宇宙飛行士は、地球を周回するこうした飛翔物をかわさなければならない。宇宙ごみと衝突するという破滅的な事態を避けたいなら、地上で見張る番人と一緒に前もって入念に計画を立てる必要がある。

どのケースでも、この世界は違う何かに少しずつ変えられてきた。私たちの活動やテクノロジーの産物が地球に蓄積されてきた。空は底抜けに青く、夜は真っ暗で、海は閑《しず》か、宇宙空間にはどこまで行っても何もない。そんな見方はいよいよ遠い過去の記憶だ。この変化は深遠で、自然選択までもが急速に不自然になりつつある。

こうした徐々に進む止められない変化は、この世界の広い範囲の無数の場所でなされた小さな意思決定が引き起こしており、劇的な新テクノロジーによる変化と比べてある意味気づかれにくい。原因は人の数だけ薄まって散らばっているし、結果としての変化はほぼ決まって意図的なものではない。化石燃料を燃やして海をもっとうるさくしよう、あるいは身の回りの空間を電磁波で混雑させよう、などと誰かが計画したわけではなかった。地球の周りを金属部品が高速で回るミキサー状態にしてやろうと気象衛星を打ち上げた者はいなかった。地球に及んだ影響の数々がより良い暮らしを求めた結果だったのと同様、こうした変化が私たちに忍び寄ってきたのは誰かに悪意があったからではない。とはいえ、人類によって意図せず形づくられたこの世界に今の私たちは寝起きしている。私たちや都市に暮らす種が身につけなければならないのは、明るく照らされ、配線でつながれ、都市化が進む世界で生きていく術なのだ。

市場の力に委ねてはいけない

地球史の新時代に対するガイア・ヴィンスの考察からは、彼女がこの新しい標準状態を甘んじて受けて入れていることがうかがわれる。彼女はこう言う。完新世の昔に思い焦がれるのは時間の無駄だ。私たちが学ぶべき大事な教訓のひとつとして、新たな役割を拒んだり新たな環境を退けたりするという贅沢はもう許されない。そうではなく、環境を形づくることについてもっと意図的に、そして感情に左右されないように選択しなければならない。とはいえ、その方向へ私たちを導く道具がほとんどない。惑星規模で進む数々の変化は、かつて「この世界で私たちを導いていた」科学哲学、文化哲学、宗教哲学に対し、前例のない難題を持ちかけてきた。この時代の自然をふまえれば、私たちには「私たちの惑星の管理者」という役割を思い切って引き受けること以外に選択肢はない。ヴィンスはまだこのように考えているのだ。私たちは哲学的にはまったくどっちつかずなのに。

「私たちの惑星の管理者」か、あるいは「月並みな市民、そして生物共同体の一員」かといった二者択一的な見方は、環境思想の永遠のたまり場だ。後者たることを強く望んだアルド・レオポルドは、80年近く前に土地倫理《ランドエシック》を探す旅に駆り立てられた。もちろん、レオポルドの頃には時代背景が違ったし、手持ちの道具の切れ味はそれほど鋭くなかった。変化はまだそれほど広がっておらず、目の前に差し出されていた技術的な可能性は比べものにならないほど小さかった。今と同じくらい奥深くまで地球の仕組みに手を延ばす能力はまだ私たちにはなかった。

時代の下った現代の意見ではあるが、ヴィンスの語る、管理人になることの必然性と感情に左右されずにいるという要求には、とうてい納得できない。ヴィンスはみずからに許していないが、私たちはあとで後悔することを選択する可能性がある。だが、別のやり方に訴えるという選択をする可能性もある。シアノバクテリアは始生代と原生代に酸素を使えるようにして、生命の生存に適した大気圏を初めてつくり、それを通じて地球を形づくったが、人類はシアノバクテリアとは違って、周りを見回し、みずからが引き起こしている変化について思案を巡らせることができる。地球を操作することにどこまで深入りしたいかを自問し、身の回りの環境をどこまで人工にするかを考えて決断できる。自然の一部はこれからも私たちとは独立であるべきという発想に、どの程度の価値があるかを評価できる。

何が最大の悲劇になるかと言えば、こうした意思決定を私たちの代わりに、私たちの意向抜きで、市場主導の力に委ねることだろう。テクノロジーの変化は単に市場が世間の望みを反映した結果だと思っているなら、それはひどい誤解だ。市場は、テクノロジーを活かす術を見いだした者が最も報われそうな道筋に沿って動いていく。そうした道筋に関する意思決定は、世間の抱くニーズや関心を念頭に置いてなされるわけではない。金銭的な見込みに基づき機会主義的になされるのだ。

ヘンリー・デイヴィッド・ソローは『森の生活』(宝島社文庫など)で、私たちの豊かさは放っておくことにした物事の数に比例すると言った。ビル・マッキベンはその1世紀半後にソローを引き合いに出し、特定の形態のテクノロジーに対して「もう十分だ！」と言うよう私たちに切に求めた。自然界の一部を放っておく、進化を自然な進化のなすがままにする、どこかの空と大地を静寂に保つ。こうした考え方を人類がすっかり捨てたなら、ソロー以降に環境思想を動機づけてきた「保存」という考え方はゲームオーバーとなる。自然界の一部とは先延ばしと制約によって関わるべきだという発想は、このゲームオーバーをもって捨てられる。すると、抑えを利かせていた倫理の蝶番が唐突に外れるだろう。

そうなった暁には、ほとんど何に対しても、自分たちにはそれを変える資格があるという気になるだろう。あらゆる制約から解放され、事を控える理由はなくなる。この段階に達したなら、私たちの視線はおそらく上を向く。土地という形で身の回りを取り囲む、柔軟で絶えず移り変わる環境のみならず、私たちを上から包み込む上空をも変える対象と考えるだろう。急速に拡大する変成新世の世界においては、大気圏の微調整が次なる理にかなった段階に見えだすに違いない。

第8章 太陽を退かせる方法

アル・ゴア元副大統領が２００６年のドキュメンタリー映画『不都合な真実』で、ステージに立ってレーザーポインター片手に風変わりなグラフを指しながら何やら大げさなプレゼンをして以来、気候変動が人類に経済と倫理の面でひどい偏頭痛をもたらしていることが広く認識されて現在に至っている。人類がみずからの暮らす環境の気候を変えたことで、文字どおり地球の姿を変えるような事態が起こっている。そもそも、世界は1センチ四方の単位で見ても以前とは違う。上空ももはや「神々の領分」ではなく、私たちのつくった何かになっている。そして気候が変わると、すべてが変わる。

気候変動が深刻だと認識されるまでの足取りは遅かった。完新世の大半を通じ、二酸化炭素が大気に占める割合は０・０２８パーセントしかなく、大気中の二酸化炭素を残らず集めたとしても、地球の表面に均等に広げたら厚さ3ミリの層にしかならない。大気圏全体でそれしか占めていない気体の濃度が高まったところで、大きな変化が起こりうるとは思えなかったのだ。大気を研究する科学者が発する警告はすっかり聞き流された。先進諸国は四半世紀以上、ほぼ国益だけを理由に、何かがおかしいとはかたくなに認めなかった。

近年はどれほどフットワークの重い国々でも、指導的立場にある者のほとんどが、大気中でここ300万年――もしかすると1500万～2500万年――見られなかった濃度の二酸化炭素でこの惑星をじわじわと加熱して自然史の進む向きを変えるのは、どうやら良からぬことだとすでに認めており、そうでない者は各方面から、現実から乖離するばかりの空想世界に生きていると見なされる。ニュースには巨大な台風、記録的な洪水、農作物を焦がす夏といった話題が増える一方で、それに目を向けた国際社会はようやく、白い氷冠がひとつしかない惑星など誰も望んでいないことに気がついた。だが、北極海の氷が急激な下方スパイラルに陥っている今、世界はまさにそうなりつつある。私の暮らすモンタナ州には、今はまだグレイシャー（氷河）国立公園と呼ばれているが、あと20年か30年で万年氷がすっかり消えるであろう保護区があり、その名称の見直しが検討されている。温暖化の影響を最小限に抑える手立てを見いだすことは、史上最難関に数えられる社会的、経済的課題であり、近年はパリ、マラケシュ、ボンで行われた国連の会議でも対応策が協議されている。

パーフェクトモラルストーム

事の大きさをうまく捉えたのが、博識で知られるアメリカの学者スティーヴン・ガーディナーで、彼は気候変動を「パーフェクトモラルストーム（破滅的なモラルの状態）」と呼んでいる。ガーディナーは環境哲学・環境倫理で知られ、シアトルのワシントン大学で教鞭を執っている。イギリスに生まれ、オックスフォード大学とコーネル大学で教育を受けた彼は、概念レベルのことはすっかり把握しているという雰囲気を漂わせるタイプである。その主たる理由は、実際にそうだからだ。

短いひげをたくわえるとジョージ・クルーニーにも見える真面目な彼は、自分の真剣味を示すことを厭わず、極端な者がぼろいTシャツとサンダルで来るような会議に、袖口にカフスボタンのついた青いブレザーを着ていく。オックスフォード大学、プリンストン大学、メルボルン大学などの客員特別研究員の資格を持っているほどの素質と才能に恵まれていてなお、学界の人気者であり、学生や大学の同僚と真剣に議論を戦わせているときも、礼節と人柄の良さをどちらも失わない。

ガーディナーは10年以上、気候倫理と呼ばれている研究分野の第一人者である。具体的には、人類をそもそも気候のごたごたに巻き込んだ物事の真相と、そこから抜け出す手段として考えられている各種戦略に関する専門家だ。気候変動を「パーフェクトモラルストーム」と呼ぶ彼の発想は、ハリウッド映画『パーフェクトストーム』で非業の運命をたどる漁船アンドレア・ゲイル号の話を彷彿とさせ、尋常ならざるいくつかの大嵐が寄り集まって気候変動の解決を難しくしているというイメージをつくり上げている。ガーディナーはグローバルストーム、世代ストーム、理論ストームという３大ストームを挙げている。

まずはグローバルストームから見ていこう。ガーディナーの指摘によれば、グローバルな気候変動は心理的に把握が難しい。なぜなら、車で買い物に出かけたり暖房の温度を少し調節したりするだけで、地球の裏側にいる人に実際に影響を及ぼしかねないと言われても、直感的にはありえなさそうに思えるからだ。日々の行動が地球規模の影響力を持つという概念に私たちは慣れていないのだ。次に、このストームの世代を超える側面が私たちを戸惑わせる。なにしろ、私たちには来週の自分の人生すら大してイメージできないのに、今から50年後や２００年後の子孫のことなどイメージできるわけがない。そしてもうひとつ、理論面のストームの存在を彼は指摘する。これは、かくも複雑で縁起でもない脅威から抜け出すのに役立ちそうな政治や倫理のまともな理論がまったくないことを指している。

ガーディナーの認識をまとめると、人類が温室効果ガスをつくるに至った世界規模の問題は前代未聞で、それに対処するための良いアイデアがほとんどないのである。彼による見通しは厳しい。あの漁船の映画で、ひげをぞんざいに伸ばしたガーディナーのドッペルゲンガーことジョージ・クルーニーは、海の藻屑と消えるのを回避できなかった。これは不吉だ。氷河や氷冠が溶け出している今、気候変動というパーフェクトモラルストームはこのまま行けば同じような運命を何十億という人々にもたらす。「じゃ、がんばって！」と礼儀正しく笑みを浮かべて親しげに手を振りながら大学のオフィスを出たあとも、ガーディナーがこうしたことについて考え続ける様子が目に浮かぶ。

このパーフェクトモラルストームを前に腰を据え、気候変動に対して何かしようと意欲満々の者たちは、創造力の大胆な発揮が求められていることに気がついている。さかのぼって1960年代、アメリカの核物理学者アルヴィン・ワインバーグが「技術的解決」、すなわち解決のきわめて難しい社会問題に対処するために工学的な解決策を採用することを提唱した。[1]人や政治の面から攻めて変化を引き起こせなくても、技術の面からなら引き起こせるかもしれないというわけである。ワインバーグの言う技術的解決の好例は、車のアンチロックブレーキの発明だった。路面が濡れたり凍ったりしていてもドライバーはなかなかゆっくり運転したがらないものなら、そのよからぬ運転の危険性を少しでも緩和すべく、車にアンチロックブレーキを搭載してスリップを抑えるという手がある。そうすることで、スピードを出し過ぎた状態でブレーキペダルを踏み込んでも、普通なら運転者の身にふりかかるような事態にならないかもしれない。この意味で、アンチロックブレーキはスピードを抑えて運転させるという難しい社会問題をある程度軽減できる技術的解決だ。言い換えると、科学が（部分的な）救済策になっているのである。[2]

気候変動が本当にガーディナーの指摘どおり、倫理的あるいは政治的な解決の難しい課題だとして、これも技術的解決の余地のある問題なのか？　科学の天才が工学的な解決策を何か思いつけば、炭素頼みの今の生活様式も継続可能になる。私たちは身の回りの世界を前例のないほど技術的に操作する時代にいる。気候変動について言えば、政治家や活動家がこれまで失敗してきたところへ技術的な解決策が成功を収める、というシナリオは考えられる。

言うまでもなく、気候変動による脅威の解決を図るなら、科学技術の大幅な進歩が必要となる。ビル・マッキベンが好んで指摘したことだが、油田や掘削装置で働く作業員を大きな危険にさらしながらどす黒い岩や油を掘り出して燃やすことは、古代ローマの時代には（そのあと数世紀ほども）天才的なひらめきの極みとされたかもしれないが、自動運転車やインスタグラムの時代にふさわしいテクノロジーには見えない。二酸化炭素排出量を真剣に減らすための技術的イノベーションとしては、もっと安くて高効率のソーラーパネル、風力タービン、代替交通手段がどれも欠かせないだろうし、世界がクリーンエネルギーへの転換をなし遂げたいなら、必要とされる技術的イノベーションには蓄電効率のもっと高いバッテリー、建設や都市設計の飛躍的進歩、よりスマートな送電網の開発も含まれるだろう。

ただし、検討できる選択肢はこうしたテクノロジーだけではないかもしれない。気候について考えている現代の思索家が一部、気候変動への毛色の違うアプローチの可能性を議論し始めている。そのアプローチに沿った場合、気温の低下を目指して大気圏の基本的な働きをいくらか微調整する。これが気候工学のビジョンだ。[3]

パウル・クルッツェンは気候工学について一言も口にする前から、冷蔵などの産業用途で用いられていた化学物質がオゾン層を破壊していると警告したことで、すでにその足跡を気候科学史に残していた。1987年には、クルッツェンによるいくつかの研究成果をもとに国連によってモントリオール議定書がまとめられ、地球を惑星規模の大惨事からぎりぎりのタイミングで救っている。1995年にはこの業績によってノーベル賞をマリオ・モリーナ、F・シャーウッド・ローランドと共同受賞しており、ひと頃は地球科学において引用件数が世界最多の論文著者だった。このほかに、核兵器の使用が破滅的な人工の冬を招きうるという初期の研究成果があるとなれば、大気化学者がおよそ望みうる著名人の出来上がりだ。

クルッツェンは大気圏研究のスティーブ・ジョブズとも言え、この分野に足跡を残すことをとにかくやめられないでいる。失われつつあったオゾン層の問題で世界の注目を集めたのち、彼は2006年、国際社会はテクノロジーを用いて気候を人為的に寒冷化するというアイデアを真剣に検討し始めるべきだと主張して、また別の重要な議論をスタートさせた。温室効果ガスの排出を政治的な手段で近々削減できる見通しが立たないことから、クルッツェンは2006年、その名もふさわしい『クライマティクチェンジ（*Climatic Change*）』誌に発表した論文で、「地球のアルベドを人為的に高める」研究に本格的に取り組むべきだと勧告した。[4]

アルベドは物の反射性を示す尺度だ。光沢の因子と考えてもいい。何かのアルベドを高めると、そこに当たったエネルギーのうち、元来た方向へはね返される分が増える。これをなんとか地球規模で実現できたなら、現在大気圏に入ってきてそこで捕らわれる太陽エネルギーのうち、それなりの量を遮って宇宙空間にはね返して、何かを温める機会を与えないようにできる。うまくいけば、地球の温度がわずかながら下がる。

クルッツェンがこの提案を発表すると、陰に隠れていた有望な気候工学研究者たちが自信を得て、まもなく表舞台に出てきた。これはノーベル賞の受賞を機に起こる思いがけない成り行きのひとつだ。世間が自分の発言に耳を傾けるようになるのである。まもなく、気候工学に関する議論が勢いよく始まった。

太陽放射管理(SRM)

地球のアルベドを高めるために、太陽放射管理（SRM）と呼ばれるさまざまな手法が考案されている。なかでも最も未来を見据えた（費用のかかる）構想は、大量の小さな鏡を地球の周回軌道に乗せるというもので、その目的は太陽光を上層大気に届く前にはね返すことだ。だが、費用がかかるし、技術的に複雑なうえ、この手のプロジェクトに専念できるような宇宙計画を進めている国が現時点では存在しない。そのため、この周回反射鏡の構想はほぼ即座に棚上げされた。

これより技術的にずっと易しいのが、地表面を広範囲にわたって白く塗ると同時に、一般的な農作物の色合いを遺伝子改変技術で明るくして反射性を高めるというものだ。地上でのアルベド改変は宇宙空間でやるより文句なしに簡単で安上がりだ。だが、地球の表面は3分の2が海面であり、マイクロバブルを大量に発生させる、ピーナッツ型の発泡緩衝材の層で覆う、などして海も明るくしようとしない限り、この白色化戦略はあまりうまくいきそうにない。

今のところ最も注目を集めている太陽放射管理案は、何らかの形態の反射性粒子ないし液滴を成層圏にまいて、太陽エネルギーが超高空飛行中のジェット機の高度より地球に近づく前に遮る、という発想である。実現すれば、入射する太陽光に対するもやっとした感じの大気バリアとして、地球のアルベドをかなり高めるだろう。この方法は何とも大胆だ。気候工学の研究者は11世紀のデンマーク王クヌート――挑戦的に浜に王冠を置いて潮に退けと命じた――の現代版と化して、太陽に退却を迫ろうとするような戦略を実行に移すことになる。

この成層圏粒子戦略には、その他すべての太陽放射管理アプローチと比べて大きな利点がある。実際に効果があると科学者が疑問の余地なくわかっていることだ。なぜそこまでの自信を持てるのか？　人類がかつて地球の温度を意図的に下げようとしたことがあるからではない。人類は大気圏を変動させた結果として災いをもたらしてきたが、すべてまったく思いがけない成り行きだった。科学者がこの戦略ならうまくいくとわかっているのは、地球史上の火山の大爆発がまったく同じ効果を上げており、その過程を調べてきたからである。

インドネシアのクラカタウ火山は、1883年の爆発で史上最大とされる大音響を発し、その音は5000キロ近く離れた場所でも耳にされている。気圧計の記録によれば、噴火による音は地球を３周半した。この噴火により、クラカタウ火山のあった島は跡形もなく消え去り、津波で３万６０００人以上が亡くなった。クレーターから噴き出た破片は最高で上空50キロまで舞い上がった。噴火の犠牲者の遺骨が軽石の破片に乗って1年以上かけてインド洋を渡り、まるまると太って満足げな無数のカニとともに東アフリカの海岸に打ち上げられた。

空中に噴き出された岩石や塵の大部分は、瞬く間に地上へ舞い降りた。クラカタウ火山が元あった場所の周辺海域に、島が一時的にいくつもできたほどだ。だが、あの噴火で噴き上げられた塵やガスの一部は成層圏の気流に達し、高高度を吹く風によって地球全体に散らばった。そして、数年ほど留まった。噴火中に噴き出た大量の粒子が太陽光を屈折させ、地球を半周分離れた先の夕焼けが異様な色で輝いた。ノルウェーの画家エドヴァルド・ムンクは、首都オスロがクリスチャニアと呼ばれていた時代、クラカタウ火山によって引き起こされた強烈な色の夕焼けをはるか遠くの当地の港で見て、あの有名な『叫び』を描いたとも言われる。だが、気候の面で、日の出や日の入りが一時的に色鮮やかになったことより重要だったのが、噴火によって地球の気温がそれとわかるほど下がったという事実だ。

火山から二酸化硫黄が噴き出され、それよって成層圏で硫酸の液滴が大量に形成された。この液滴が、普通なら透明な空気層のアルベドを一時的に高め、入射する太陽光の何パーセントかをそのまま宇宙空間へはね返したのだ。信頼できる史料によれば、噴火の翌夏、北半球の気温は少なくとも1.2℃下がっている。異例の場所で雪が降り、春の種まきが霜の影響を受け、夏の収穫が遅れるかゼロになるかした。気温の低下に加えて、アメリカの西海岸が記録的な豪雨に見舞われたほか、世界中で降水パターンが乱れた。漂っていた塵などが弱酸性の雨として地上に残らず降ってくるまで、気温は世界中で数年ほど例年並みに戻らなかった。

クラカタウの件は異例でもなんでもない。1815年のタンボラ山の噴火後、世界は「千八百凍死年」ともあだ名された「夏のない年」を経験した。メアリー・シェリーが『フランケンシュタイン』（光文社古典新訳文庫など）を書く気になったきっかけには、1816年のほぼ夏じゅう天気が悪く、スイスのレマン湖畔の邸宅にこもらざるをえなかったこともあったと言われている。どうやら、彼女や一緒にこもっていた友人たち——当時「狂っていて、悪い人で、お付き合いするには危険」と評されていたバイロン卿もそのひとりだった——は、風やみぞれが頭上の瓦を叩いていたあいだ、ひまつぶしに恐い話を創作して互いに怖がらせ合っていたらしい。

1912年のアラスカのカトマイ山、1982年のメキシコのエルチチョン、1991年のフィリピンのピナトゥボ山。どの大噴火でも、明らかな気温の低下が世界中で記録されている。気候科学者のなかで小さな作業グループが興り、地球史上の気温の落ち込みと火山の大噴火の時期との対応づけが試みられた。そして、ミニ氷河期から地球規模の大量絶滅までについて、大量のガス、液体、微粒子が上空へ噴き上げられたことと、世界規模の気温の低下とのつながりが広く認められた。つまり、火山は太陽放射管理の「概念実証」になっているのだ。パウル・クルッツェンの論文のいわば「別紙A」に当たるのである。

現在問われているのは、気候変動に対してどうしても何か手を打ちたい人類が、同じ効果を人為的につくり出そうと試みるべきかどうかだ。

最も公正なただひとつの方法？

デイヴィッド・キースは人当たりが良く実に明るいカナダ生まれの工学研究者で、現在はカルガリー大学とハーバード大学を半々で行き来している。20年にわたって研究を続けており、気候変動の技術的修正を先頭に立って説いているひとりと見なされている。引き締まった細身の体に、いたずらっぽい笑みを浮かべ、知的エネルギーを際限なくみなぎらせる。自分の研究について話しているときなど、店でとびきりのおもちゃを見つけたばかりの子供のようだ。一流の物理学者であり工学研究者でもある彼は、哲学的な一面も持ち合わせているほか、未開の地や凍てつく大地に対して深い情熱を抱いてもいる。彼は何かを設計してつくる方法を知るだけでは飽き足らず、つくるべき理由、そしてそれが社会に求めるであろうトレードオフについても知ろうとする。私たちによる自然との関わりの根底をテクノロジーがいかに変えうるかを真剣に考えている。

こうした哲学的な難題に取り組む試みの一環として、キースは大学を出るとモンタナ州ミズーラへ出向き、マルティン・ハイデッガーの難しい文章を、著名な技術哲学者アルバート・ボーグマンとともに読み込んだ。何カ月もかけ、ボーグマンの知恵を借り、何かをつくることが社会を少しずつ人知れず形づくっていくことの理解に努めたのだ。彼にとってモンタナの地は、こうした難題について考え抜くのに最適な場所だった。工学研究者となるべく教育を受けていたが、その人生の大半は野生への深い愛を中心に回っていた。爽やかな秋の週末ともなれば、ぼさぼさの髪をしたクマの専門家、生物学者のチャック・ジョンケルと連れ立って未開の地を巡り、この地域で有名なクマについて、習性や棲み処などを可能な限り学んだ。冬になって雪が辺りを覆うと、スキーを履いて未開の地の奥まで入っていったものだった。

２００９年の『タイム』誌で「環境の英雄」に選ばれて以降、キースは要職をいくつも引き受けており、その責任は一気に高まっている。彼はたとえば、巨大なファンと溶剤を使って大気圏から二酸化炭素を直接取り出そうというカーボンエンジニアリング社の主席科学者代行を務めているし、技術や公共政策の研究に絡んでハーバードのポスドクチームの面倒を見ているし、ビル・ゲイツの革新的気候・エネルギー研究基金（ＦＩＣＥＲ）の資金分配に貢献している。

凍てつく北の大地への思いを抑えきれなくなると、彼は研究室を閉めて行方をくらまし、何人かの友人と北極圏の人里離れた地域を走破する3週間のスキー旅行をすることが知られている。長い1日、かちかちの雪面や氷面の上を滑っているあいだ、彼は気候変動が北極の氷や雪の消失のみならず、再生がさらに難しい何かの喪失——自然の純粋な野生の喪失——をも意味することについて考えを巡らせる。そして研究室に戻ると、それに対して何かしようと試み続ける。

キースは成層圏エアロゾルの技術で世界をリードする専門家のひとりだ。著書『気候工学の一論証（*A Case for Climate Engineering*）』が2013年に刊行されると、キースは『コルベア・リポート』という番組〔コメディ系のチャンネルでかつて放映されていたニュースパロディ番組〕に招かれ、火山を模して太陽放射を管理するというアイデアを全米の視聴者に披露した。キースにとってあいにくなことに、入射する太陽光の遮蔽用として成層圏に注入するのに最適な反射材は、硫酸の液滴だ。番組ホストのコルベアはもちろん食ってかかった。

キース：たとえば、年2万トンの硫酸が成層圏に流入しているのだとしたら、その量を毎年少しだけ増やす必要があります。それに、そうしたからと言って、長期的に見てCO_2などの排出削減を忘れてかまわないというわけにはいきません。排出の管理は必要になります。

コルベア：（皮肉っぽく）いや、その話は後回しにしましょう。で、地球を硫酸で包み込んですよね。

キース：それで、世の中がこのアイデアについて議論することに及び腰になるのは、この議論が排出削減の妨げになるのを恐れるからです。

コルベア：（疑わしそうに）そうですねぇ……それに、硫酸ですしねぇ。

キース：ええ。

コルベア：何かの形でしっぺ返しを食らう可能性はないんですか？　硫酸で地球を包み込むことに？　いや、私は大賛成ですよ。要は、体に悪そうなごちそうだ。私は相変わらずCO_2を出していい。ただ、硫酸を振りまく必要はあるけどってことですよね？　世界中に。

キース：真っ当な質問ですが、私たちは今すでに5000万トンの硫酸を汚染物質として大気中に排出しています。これは全世界で年間100万人が死ぬほどの量です。

コルベア：（バカを装って）それってていい、よくない？

キース：ひどいことです。

コルベア：でも、もっとまけばよくなる？

キース：この話で使う量はその1パーセントです。割合としてはごくわずか。

コルベア：でも、100万人が殺されるなら……

キース：よくないことです。

コルベア：1パーセント増やすだけなので、もう1万人殺すだけですね。

キース：計算は合ってます。ですがそれは――とにかく、人を殺すことが目的ではありません。

コルベア：人を殺すことが目的じゃない。それをはっきりさせたかったんですよ。

コルベアは悦に入っていた。太陽放射管理が気候変動に対する真面目な対応であることをキースが示そうとするたび、それを物笑いの種にした。コルベアにすれば、キースをマッドサイエンティストに仕立てて視聴者に面白がってもらうことなどわけなかった。

それはともかく、キースの本は重要な問いを投げかけている。野放しの地球温暖化により見込まれる被害の規模を真剣に受け止めるなら、また、その被害が世界の貧困層に不相応なほど及ぶことに気づいているなら、さらに、彼らは気候変動に対応するための経済力に最も乏しいうえ、そもそも温室効果ガス濃度の上昇への寄与が最も少ない、ということに同意するなら、そして、気候変動による被害の軽減を目的とした従来の戦略はその導入にスピード感が足りない、という否定しがたい現実を認めるなら、何か大胆きわまりないことをする必要性を倫理面から強固に論証できそうだ。火山の噴火を模した太陽放射管理は、このままでは気候変動による被害を最も大きく受ける層に対して公正たることを確約する唯一の方法かもしれない——そうキースは主張する。

2006年にパウル・クルッツェンから明確なお墨付きが出て、気候工学を取り上げることがタブー視されなくなってから、温暖化に対して考えられるこの対応策についての議論が、倫理学者、政府の専門家、法律学者、大気科学者、生態学者による賛否両論の大騒ぎとなった。この構想があまりに魅力的であると同時に恐ろしくもあり、無視できなかったのだ。気候を人為的に調節するというこの途方もない構想に対して、誰もがにわかに賛否の意見を持ち出した。成層圏エアロゾルを用いる気候工学は、技術的修正の典型的なあらゆる特徴を持ち合わせている。技術の専門家のほれぼれするような優れた技量を見せつけるし、クルッツェン的大気版正義の味方による英雄譚を期待させる。そして、世界一悩ましい問題が解決される（と同時にアル・ゴアがレーザーポインター片手にステージの上を歩き回る必要性を一切なくす）見通しを示して、誰もが大きな安堵のため息をつけるようにする。そのうえ誰に聞いても、驚くほど安上がりに実施でき、技術的にシンプルだ。気候工学は合成の時代の最たる技術のひとつと言えそうである。

ならばなぜ、私たちはまだ始めていないのか？

国際協力へ向けて

コルベアが厚かましく指摘したとおり、このテクノロジーには深刻な懸念がいくつか付いて回っている。キース本人も、成層圏へのエアロゾル注入は「安上がり」で、「すぐ効く」ほかに、「読めない部分がある」と言う。まず、世界経済全体を脱炭素化するのにかかる費用と比べて実施費用が比較的少なく済むことは間違いない。キースの概算は年10億ドルだ。また、気温はかなり速やかに、おそらくはものの数日か数週間で低下する。だがあいにく、キースもあっさり認めているとおり、気候に対して太陽放射管理を用いることによる影響をすべて完璧に把握できているわけではない。

地球全体の気候は微妙なバランスの上に成り立っている。蓄積された熱（長波長放射）の排出が、成長を続ける温室効果ガスの層に妨げられており、太陽光(短波長放射)の入射を上空で止めても、その完全な埋め合わせにはならない。大気圏の「放射バランス」、すなわち入ってくる熱と出ていく熱の関係を変えれば、海からの水蒸気の蒸発量、風のパターン、各地点間の温度勾配、植物生産性といったさまざまな現象を必ずや変えていることになる。地球規模で太陽光を反射することは、きわめて複雑で予測のつかないシステムを大改造することに当たり、不確定要素が数多くつくり出される。

とりわけ懸念されるのが降雨だ。1883年8月のクラカタウ火山の噴火と翌夏のカリフォルニアにおける豪雨とのつながりは、成層圏のアルベドを下手にいじると水蒸気のパターンが大きく乱されることを示唆している。世界各地で貧困層の多くが、サハラ砂漠以南やバングラデシュのような、乾燥地帯や洪水に弱い地域に暮らしていることをふまえると、降水に何らかの変化が起これば大きな人的被害となって跳ね返ってくるかもしれない。現状の降雨パターンは昔から暮らしのリズムの一部となっているし、世界中の零細農家の多くが、作物の栽培を規則正しい季節性のモンスーンに頼っている。太陽放射管理の効果は、諸般を考え合わせると研究の結論としては肯定的なのだが、降雨への影響に絡んで読めない部分がキースの議論の倫理面に暗雲を呼ぶ。世界屈指の専門家が乗り出しても、気候はこれからも荒々しく予測がつかない公算が高い。

太陽放射管理の効果についてもっと精度の高い科学知識があればいいことは言うまでもない

が、その知識は現在コンピューターモデルの予測精度にほぼすっかり左右されている。残念ながら、太陽放射管理テクノロジーによる地球規模の影響については、実際に試す以外に説得力を持って検証する方法がない。だが、惑星全体の気候を変えるという大それた物事を目的とする新テクノロジーの試験として、実際に試すというのはリスクがかなり高い。それに、太陽光の管理に関して、少なくとも理論的にでも十分な知識を得ることが可能なのか、という深刻な疑念もある。「バタフライ効果」によれば、システムのどこかでわずかな擾乱が起こると、予見できない規模の大きな擾乱が別の場所に生じかねない。気象のように複雑なカオスシステムを地球規模で操作しようというのも、勝ち目のありそうな話には聞こえない。

さらに悪いことに、環境に敏感なこの時代、化学物質を成層圏に飛行機からまき散らすという発想は、どう考えても世間をおののかせる。イギリスでしばらく前、地上1キロの高さで係留された気球から何の変哲もない水をまくという小規模な機構《メカニズム》試験が提案されたが、さまざまな社会的懸念を理由に2012年に断念された。バスタブ2杯分にも満たない水をまくことへの懸念は過剰反応と言えそうだが、太陽放射管理の本格的な試験ともなれば真っ当な心配の種になりうる。試験として粒子が成層圏に注入されれば、高高度を吹く風によってあっという間に地球全体に広がる。何か予期せぬ物事が起こっても、回収は不可能だ。こうしたことから、成層圏エアロゾルの安全な注入を確かめるために必要な研究は、いまだ不完全であるうえ大いに物議を醸す。キースはこうした問題を重々承知したうえで、ハーバードの同僚であるフランク・クッチとともに、凍結水のミストを高高度の気球から成層圏に注入したときの効果に関する独自の試験を、それに続いて炭酸カルシウム粒子を用いた試験を、上空で実施しようとしている。

　太陽放射管理に絡む心配事は、嵐、干ばつ、降雨に関するものだけではない。太陽放射管理は「もうひとつのCO_2問題」とも呼ばれている海の酸性化にも対応できていない。大気中の二酸化炭素濃度が高まると、この無色無臭の気体が海に吸収される量が増える。[5] 海面で吸収された二酸化炭素は水と反応して炭酸をつくり、これが海洋環境中に広がっていく。

　炭酸は海の酸性度をすでにかなり高めており、その影響は海水温が最も低いところで最大となっている。海洋生態系の酸性度は、ここ２００年で平均して3割ほど上昇している。北極地方には21世紀末までに酸性度が倍以上になる場所も出てくるだろう。海洋生物への影響は深刻だ。

　炭酸は、海の生き物が甲殻を成長させるのを一段と難しくしている。また海の酸性化のよく知られた影響のひとつとして、サンゴ礁が世界中で死のスパイラルに陥っている。サンゴ礁を形成しているサンゴが骨格の形成を阻害されているうえ、海水温の上昇によってサンゴの白化が進んでいる。その影響で、サンゴ礁を利用する魚が産卵の場を失いつつあるほか、海洋生態系が頼りにしている複雑な食物網が乱れている。炭酸の脅威には、生態学的に重要で海の化学的性質に敏感なほかの種、たとえばプランクトン、海藻、カキなどもさらされている。酸性化が続けば、海は今日の海洋科学者から見てかなり様変わりしてしまうだろう。

太陽放射管理への懸念としてはもうひとつ、気候工学の研究者が成層圏の化学組成を微調整しているあいだも、自然な火山活動が地球のペースで続くことが挙げられる。葛藤を抱える彼らによって人工の粒子が成層圏にまかれたとしても、地球では相変わらず、表層の構造プレートは互いにこすれ合うし、灼熱のマグマは上昇してくる。成層圏がエアロゾルで満ちているときにクラカタウやタンボラの規模の噴火が起ころうものなら、突如として冷却処理が二重に施されることになる。数年にわたって気温が押し下げられ、農作物の不作が続くという壊滅的な事態になるだろう。クルッツェンが1980年代に研究した核の冬に、人類の絶滅要因として思いがけないライバルが出現することになる。

こうした懸念はすべて、太陽放射管理という魔法の銃弾が大噴火という巨岩に弾かれて思わぬ方向へ飛んでいく可能性を示している。太陽放射管理は地球の平均気温を下げるのに貢献しうるが、海の酸性化が続くうえに気候に対する読めない影響がいろいろあるという強烈なワンツーパンチを浴びせてもくる。気候変動へのシンプルな技術的修正として考案されたものに対して払うには、どちらもかなり高い代償だ。

デイヴィッド・キースは賢明な人物で、こうしたことはすべて承知しているし、パウル・クルッツェンも2006年にこの件を切り出した当時からやはり承知していた。だが、良さそうな代替手段がほかにないことから、2人とも今も、これはやってみる価値のあるかもしれない取引だと考えている。気候変動への対処として最も素直なオプション、すなわち低炭素エネルギー源への穏やかで比較的犠牲の少ない移行は、気候に関する国際政治をここ30年蝕んできた先延ばしと不信のせいで、もうキースらの方策として考慮されていない。気候変動への対処の幅は、どんどん狭まっている。このパーフェクトモラルストームのなか、天候はその猛威を強め、選択肢は徐々に減っているのだ。

太陽放射管理に対して呈されている科学上の疑問も重要だが、火山を摸すという構想には難しい政治課題もあって、積極的な太陽放射管理を始めようといういかなる計画にも必ず付いて回る。これほど威力のある地球規模のテクノロジーの開発者として信頼できるのは誰か？ 国際社会はどの程度の太陽放射管理を選ぶべきか？ 地球のこのサーモスタットに誰の指が触れることを許すのか？ こうしたガバナンスの懸案が非常に多いうえ、未来の気温の利害関係者——要はこの惑星上の75億人すべて——の声をどのようにして拾うのかが定かでない。

気候工学が途方もない地政学的不安定性をもたらしうることに、主導者たちが気づいていないわけではない。カナダやロシアなど、温暖化による利益もありそうな国々は、かつての凍てつく気候に戻すことを良しとするのか？ 域内で協力関係を結んでいる国々でも、ともすると各国独自に利益のために他国との事前協議なしで気候工学の導入を検討するだろうか？ 中国はどのような立場を取るのか？ 経済力の乏しい国々の国益は無視されるのか？ こういったあらゆる疑問に十分とは言えないまでも答えられる国際的に公正な手続きはなかなか思い浮かばない。この政治的泥沼をかき分けて進むことを唯一の目的として、新たなシンクタンクの創設が進められている。

こうした難しい政治課題に対し、ハーバードにおけるキースのプロジェクトでは、学際化を進めると同時に多彩な視点を取り入れるという決意のもと、政府系組織や環境NGO、また市民社会からさまざまな組織を巻き込むことにしている。懐疑的な声の持ち主も引き入れて、最大限の透明性を確保するためだ。このプロジェクトは当初から、太陽放射管理に関して政治的に受容される国際協力について、その可能なあり方を明らかにする一助となるよう考えられているのである。こうした保証にもかかわらず、一部の批判的な向きは、太陽放射管理は本質的に非民主的なテクノロジーであるか、本質的にガバナンスの効かないテクノロジーであるか、その両方だ、という実にまことしやかな主張を展開している。

地球3・0

太陽を退かせる構想に対して科学上でもガバナンスの点でも差し迫った課題が各種持ち上がっているなか、この問題に関心を抱く哲学者もその数を増やしており、より抽象的な難しい課題の数々にひどい胸焼けを起こしている。こちらの課題からは、制約のない変成新世が私たちの自己感覚や環境感覚にもたらす恐れのある概念的ショックに直面させられる。

最たる難題のひとつは、気候が意図的に操作された地球はいったいどのような存在になるのか、というものだ。人類にここ1万年、良きにつけ悪しきにつけ何が起こったときも、その背景をなしていた気候は比較的安定していた。動物の家畜化から、農業や文字の発明、世界の主な宗教の誕生、ピラミッドや万里の長城の建設、ルネサンス、啓蒙運動、２度の大戦まで、主な出来事はどれも完新世の概して一定した気候のもとで起こっている。ジョン・スチュアート・ミル風に言えば、これまではこの一定した気候が文明の頼もしいゆりかごだったのだ。だが、ミルの１５０年後、温暖化の進む惑星に暮らしている今、この慣れ親しんだ背景が変わりつつある。

ビル・マッキベンはこのことに誰よりもはっきり注目してきた。気候が絡む危機に世間が目覚め出した１９８９年、彼は『自然の終焉』（河出書房新社）という目を引くタイトルの本を書いた。マッキベンは原書２００ページほどの紙面に事実と思索を綴るなかで、化石燃料の燃焼で排出される温室効果ガスにより、地球がまるごと「私たちの習慣、経済、生活様式の産物」と化す恐れがある、と悲痛に嘆いている。気候変動のせいで、地球は今やすっかり変わった。私たちは地球上のあらゆる場所を「人手をかけた不自然な何か」に変えてきた。

マッキベンいわく、私たちが今暮らしているのは「地球2・0」という、新たな大気で覆われた新たな惑星だ。危険なほど濃度の高い温室効果ガスに包まれた地球は、どこか根深いところで違う場所になったのである。「私たちは、かつて甘美な野生の庭が栄えていた場所に温室を建てた」とマッキベンは言う。残っているものはすべて、人間の影響をいくらかでも受けている。[6] マッキベンは当初から、この変化が人類にとっての大きな損失を表していることに目を向けていた。完新世の気候は「独立した野生の世界であり、人類はそこに適応し、そのルールのもとで生まれて死んでいた」のだが、そのルールが変わりつつある。

では、マッキベンの想定どおり、私たちが故意ではない気候変動のせいですでに地球2・0に暮らしているのだとしたら、気候工学は私たちの背にほかにどのような心理的負担を負わせるのか？ 一部の者はこう考えている。気候工学は地球を実質的に巨大な人工物に変えるだろう。言い換えると、気候工学の導入以降の地球は、適量の太陽エネルギーを正確に反射・吸収するよう人類によって意図的に管理される惑星に変わる。地球物理を人為的に制御する、史上例を見ない新時代になるのだ。

そうした新時代には、地球と太陽との関係の根本的な性質が、それまでとは違って根本的ではなくなるだろう。完新世に先立つ更新世〔約250万年前〜約1万年前〕の時代から、ミランコヴィッチサイクルの名で知られる予測可能な変動パターンが熱と氷の循環を、ひいては地球の生態系の様相を定めてきた。気候工学で管理される世界になると、地球の楕円軌道のわずかな伸び縮みと自転軸の傾き／向きの変動は、地球の気温の決定要因ではなくなるだろう。わずかではあるが影響力の大きいこの惑星規模のよろめきが、ほとんど無関係になるのだ。知られているその他すべての惑星とは違い、地球ではその居住者が環境の受け取る太陽エネルギーの量をその手で加減するようになる。大気工学の研究者がダイヤルを回したりアルゴリズムを導入したりして、常時、計算ではじき出された量ぴったりの熱で地球の表面を温めるようにするのだ。私たちにとって、太陽系はいわば「太陽較正系」となり、その熱力学特性は私たちの暮らしをより豊かにするために微調整され続けるようになる。

粘土の成形に延々といそしむ疲れ知らずの陶工のごとく、人類は気候を延々と調節し続ける責を負うことになる。これは、特定の生態系なりランドスケープなりを局地的に形づくるだけという、人類がその歴史を通してこれまでやってきたこととはわけが違う。気候工学を用いることで、人類は太陽が絡む一切を管理し続けるという役割を引き受けることになる。惑星の最も基本的な営みのひとつ、すなわち、それまで太陽系の物理の奥底を根源とする独立した力で定められていた営みをコントロールすることになるのだ。

この役目を引き受けるなら、人類の責任は一段と増す。大方の倫理学者や法律学者が、何らかの行為が意図的か偶発的かは大違いだと言うだろう。考えてみるといい。謀殺（意図的な殺人）と故殺（計画的でない殺人）とで罪の重さがいかに違うかを。あるいは、ハイキングで急な坂道を登っているときに、大きな石を意図的に投げつけた場合とたまたま岩を崩してしまった場合の違いを。

生じる責任の面で、気候工学は石を投げつけるほうに当たる。大気圏を変えるという明確な意図を伴っており、大気圏をうっかり汚染してしまうのとはわけが違う。故郷の星にまったく新たな1章を開くとともに、新たな類いの地球規模の責任を負うことになるのだ。気候工学で管理される惑星は、故意の気候ではなく改変された気候を持つ地球2・0を通り越し、地球3・0となるだろう。あるいは、もはや地球とは呼べない何かになるのかもしれない。

このテクノロジーの主導者の一部は、「太陽放射管理（SRM）」という表現がSF映画のようなイメージを連想させ、コントロールに関して誤ったニュアンスを帯びているとの認識に至った。そこで、SRMを「Solar Radiation Management（太陽放射管理）」の略から「Sunlight Reflection Methods（太陽光反射法）」の略に変えて、気候工学が太陽放射の地球規模での管理よりおとなしい発想だと示そうとしている。うまいアイデアだが、おそらく効果はないだろう。マッキベンはというと、これからも排出削減に注目したいと考えている。彼は、気候工学に関する議論はそもそも「わずらわしい」ものであり、その背後にある心理的衝動は「何やら怪しい」と記している。だが、この技術的修正を活かそうという発想はすぐには消えそうにない。急速に温暖化の進む現状は、地球を人工化しようという大きな流れが生まれてきそうな様相に見える。

太陽放射を管理することはさまざまな意味で変成新世の真髄と言えそうである。なにしろ、自然の極みとでも言えそうなプロセスをひとつ選んでその核心に手を延ばしてわがものとするのだ。みずからの暮らす惑星の大気圏から下を意図的に調節するような種より、合成の時代を象徴するものがあるだろうか？　火星のテラフォーミング（惑星改造）など忘れてかまわない。

先に地球でできる。

この議論の口火を切った理論家であるパウル・クルッツェンには、気候工学が人類史の新時代の成り行きと密接なつながりのあることが当初からわかっていた。課題も承知していたが、可能性も見て取っていた。現代はもはや、地球が自己管理する様子を人類が遠巻きに見ていられるような時代ではない。今日の課題に対処するには「人類があらゆるスケールで適切に振る舞うこと」が求められ、「気候の〝最適化〟などを目指す、国際的に受容された大規模なジオエンジニアリング（地球工学）計画がおそらく伴うだろう」[7]とクルッツェンは予想した。

切れ者の工学研究者の面々は果たして気候を最適化してこの世界をつくり直せるのか？ SF映画の宣伝文句のようにも聞こえるが、そうではなく、これは注目に値する疑問だ。気候絡みの災害が毎週のようにエスカレートしており、それに対して手を打つという政治的意志がとうてい保証されない状況では、気候工学の道を歩むことにするかどうかの決断をそう遠くない将来に迫られる可能性がある。一部大国のリーダーが自国のテクノロジーが見せる至高の美の誘惑になんとも弱いことをふまえると、気のはやった政府にこの道を選ばせないようにするには、懸念を示す市民が大規模に集結するというレベルの行動が必要となるかもしれない。

第9章 大気のリミックス

気候工学へ向いてきた市民の関心の大半は、硫酸を成層圏にまき散らすという、ともすると警戒心を抱かせる構想が集めてきた。だが、研究者の関心は太陽放射管理のまた別の技術に引き寄せられている。こちらでは、海洋上の雲の白さを強めて、海に吸収される熱の量を減らす。

高度数千メートルほどの範囲内に発生する雲の白さは、低速航行する船に特殊設計のノズルを取りつけて海水の霧をまくことで強められる。白さを増した雲は、太陽光を大気圏上部に向けてはね返す。雲の白色化と呼ばれるこの技術をそれなりに大がかりに用いれば、入射した太陽エネルギーのそれなりの割合を、海面下の暗い海の温度を上げる前にはね返すことで、成層圏エアロゾルと同様の効果を生み出せる。

雲を白くするという策はまだモデル化の段階だが、この技術の主導者たちは、NASAの衛星写真を見れば、船舶からの排気によって雲の成長が促され、それが洋上に何百キロと延びているのがわかると指摘する。これをディーゼル排気ではなく海水で実現するのに必要な工学技術は、比較的シンプルだと考えられている。最も難しいのは、噴霧される水滴を最適な大きさに揃え続けることだ。この技術が実現されれば、自動操縦の船団を組んで洋上の特定海域の格子点を行き来させながら、塩辛い霧を空にまけるようになる。

海洋上の雲の白色化（Marine Cloud Brightening：ＭＣＢ）は、エアロゾルを成層圏にまく構想ほどは人々の反感を買っていない。世間はふんわりした白い雲を海で調節するという発想に、硫酸の液滴を成層圏に撃ち出すという発想に対してよりはおびえないようである。また、10キロ以上上空の成層圏と比べれば、海には人類史とのあいだに勝手知ったる、そしてもしかすると安心なつながりもある。地球の未来が懸かった場面で、大海原に雲がいくつか余計に浮かんだところで、それは払わされる高価な代償には思えない。

また、気候工学の安全性に絡む切迫した懸念のいくつかが、海洋上の雲の白色化では大幅に緩和される。まず、雲の白色化は高高度へのエアロゾル注入に比べて、やめるのがはるかに簡単だ。噴霧ノズルのスイッチを切れば、洋上の雲は数時間あるいは数日で消える。それに対し、クラカタウの教訓のひとつとして、成層圏エアロゾルの注入による効果は数年続く。また、雲の白色化は地球を守るオゾン層に脅威を与えないが、成層圏エアロゾルは与える可能性がある。ほかにも、第８章に登場したスディーヴン・コルベアなら、雲の白色化でまくのは硫酸ではなく海水だと真っ先に指摘するだろう。これも安心材料になる。

とはいえ、十分大がかりに実施するなら、海洋上の雲の白色化も地球規模の太陽放射管理の一形態だ。成層圏でのエアロゾル注入と同様、問題が生じうる規模で惑星アルベドに手出しをするのだから。成層圏エアロゾルに付いて回る2つの大きな懸念、すなわち降水への影響が読めないことと、海の酸性化が続くことは、そう派手ではないこの気候操作方式にもつきまとう。雲の白色化に対する市民の反対運動は、今のところ成層圏エアロゾルに対するほどではないが、やがてそれに引けを取らない高まりを見せる可能性はある。[1]

成層圏エアロゾルと海洋上の雲の白色化は、どちらもアルベドを改変するという発想に的を絞っている。アルベド改変は大きな注目を集めているが、大気圏の管理手法として俎上に載っている唯一の選択肢ではない。気候工学の研究者はまた別の秘策を持っていて、そちらではこの問題に違う角度からアプローチする。対する相手は太陽エネルギーではなく、炭素だ。

二酸化炭素除去（CDR）

気候工学に関する議論の実質的な幕開けにおいて、イギリス王立協会のまとめた影響力の強いある報告書が、この分野を2つの主要技術で分けた。[2] ひとつは太陽放射管理、もうひとつは二酸化炭素を大気中から捕集して安全などこかに長期間、貯留する各種技術だ。こちらの戦略は二酸化炭素除去（CDR）の名で知られている。

王立協会が定めた分類によって、二酸化炭素除去も太陽放射管理というもっと派手な策と同じ「ジオエンジニアリング」扱いされたことから、これまでのところ二酸化炭素除去は気候工学オーケストラにおいて、注目を一手に集めるいとこの隣で第二バイオリンの役目を強要されてきている。だが、気候に関する協定が２０１５年にパリで締結されてから、二酸化炭素除去への注目が高まってきた。そのパリ協定において、産業革命以前と比べた地球の気温上昇を何とか２℃未満に抑えたいなら、二酸化炭素の大気圏への排出をやめる必要があるのはもちろん、大気圏からの除去も始めなければならないことが明確にされたのである。

大気から二酸化炭素を引き出す方法はいろいろある。まずは単純に樹木をもっと植えることだ。このローテクな解決策は斬新さに欠けているばかりか、それだけではこの気候問題を解決しそうにない。途方もなく広い土地と途方もなく大量の樹木が必要なうえ、枯れたり伐採されたりした樹木から解放される炭素が大気圏に直行しないことを保証する手段も必要となる。大々的な植樹に伴って求められる土地の確保も懸念されており、二酸化炭素をどこかに貯留しようという議論で樹木は歓迎されるものなのだが、この戦略は気候の温暖化に対する単独での解決策としては扱われていない。

二酸化炭素の濃度を下げるまた別の生物学的な方法として、海に植物プランクトンの巨大な華（ブルーム）を発生させるという手がある。これは、何もしなければ養分不足の海域に鉄、窒素、リンといった必須元素の粉末をまくことで実現できる。こうしていわばスープの具を増やしてやることで、海面で自然発生する植物プランクトンが一気に増え、ひいては光合成に使われる二酸化炭素の量が増えるのだ。

こうした大量の植物プランクトンは、海の一次生産者としてすぐさま食物連鎖に加わる。その結果、植物プランクトンによって消費された二酸化炭素は、それを食べた膨大な数の海洋生物からの糞便という形で、あるいはそうした生物が死んだときにその遺骸と一緒に、最終的に深海へと沈んでいく。絶え間なく降るこの炭素の雪が、海底で堆積物として長期的に貯留されると期待されている。

含窒素物質による海洋肥沃化という現象は、進化史ではとうの昔から海の養分循環に組み込まれていた。自由に泳ぎ回る巨大なクジラを捕鯨船団が激減させる前は、クジラが糞便に含まれる窒素によって、肥沃化機能をうまいこと果たしていた。海洋最大の生物が排せつ行為によって養分をまき散らすことは、炭素を消費する微生物の成長を促し、地球の気候に大きな影響を与えてきたと考えられている。[3] もはや何千万頭というクジラが海洋生態系の上位で嬉々として脱糞している状況ではない今日、海の養分分布は過去の分布とはほど遠い。このことは、クジラを保護してその数を増やすことに対するまた別のもっともな理由として、謎がまだ多くカリスマ性もあるこの動物種を保護しようという数ある動機に加えられよう。

一方、海を人為的に肥沃化することの問題のひとつが、養分を海面にまいた場合にこうした微生物が実際に吸収できる炭素の量について、いまだ結論が出ていないことだ。また、炭素が海底で本当に安全に長期間貯留されるのかについても疑問が持たれている。さらに、海洋生態系全体に養分をまくことによる広範な生態学的影響を巡っても懸念がある。本来のターゲットである気候と同様、海の食物連鎖も複雑であることから、この手の化学的介入によって重大な副作用の生じる可能性が高く、それが思わぬ展開を見せないとも限らない。

影響のなかには見えにくいものもありうる。ジャーナリストで気候活動家のナオミ・クラインは、自宅にほど近いカナダのブリティッシュコロンビア州の沿岸で海洋肥沃化実験が不法に行われていたことを聞き、近場で珍しくシャチが目撃されたのは、万能肥料に当たるものが海面にまかれたせいで生態系がすでに乱れかけている兆候なのではと考えた。大気圏に関するマッキベンのコメントを繰り返すかのように、クラインはこうした介入後には「あらゆる自然の出来事が不自然の色を帯び出しかねない」[4]と嘆いた。

私はかつて漁師としての仕事中〔著者は学生時代から夏休みのあいだ漁師としても活動していた〕、アラスカ州ピーターズバーグ近くのフレデリック海峡を通過していたときに、乗っていた船の周りで何十頭ものザトウクジラがバブルネットフィーディング〔魚の群れの周りを旋回し、泡を吐き出して獲物の魚たちを海面へ追い込む〕をする、という別世界のような光景を目にしたことがある。顔をどちらへ向けても、目に飛び込んでくるのは滑らかな水面を切り裂くひれや尾、そして噴気孔からの潮吹きや再三のブリーチング〔クジラが海面からジャンプして着水する〕で舞い上がる雲のようなしぶき。そのとき味わった興奮には、あの光景が野性味あふれていることと自然発生的であることが一役買っていた。だが、広い海域で大規模に養分をまくようになれば、こうした経験をしても、制約ほぼなしで自然を垣間見られる窓を覗いているというより、水族館でなかば統制されたショーを見ているという感じを受けるのかもしれない。

大規模に炭素を回収する生物学的技術の多くが生態学的なリスクを伴うことから、違う二酸化炭素除去法が提案されており、こちらでは二酸化炭素を生物学的ではなく化学的な手段を使って地上で大気から直接取り除く。そうした技術のひとつでは、岩石の自然な風化作用を人工的に強化する。

雨による山の風化作用は炭素循環の主要メカニズムのひとつで、地球史を通じて大量の二酸化炭素を大気圏から引き出してきた。雨はいつでも弱酸性だ。そのため、岩に降ると、緩慢だが重要な反応を引き起こす。ケイ酸イオンや炭酸水素イオンがこの弱酸性の雨によって地表面から小川や河川へ流れ出すのだ。一部は地下の洞窟や割れ目に染み込んでもいく。そして地上でも地下でも、これらのイオンは二酸化炭素を捕まえる達人となる。

地下においては、炭酸水素カルシウム中の炭酸カルシウムが水とともに析出して、炭素が豊富な石筍や鍾乳石をつくり、その先端を地下の洞窟内を流れる冷たい微風がなで続けることになる。一方、表層水に含まれるイオンは最終的に海へとたどり着き、一部の海洋生物が炭酸カルシウム〔炭酸イオンとカルシウムイオンとの結合〕を材料とする甲羅をつくる。また、ケイソウと呼ばれる微小な藻類が、ケイ酸を使って細胞壁をつくる。光合成で大量の二酸化炭素を取り込むケイソウやそれを食べた生き物の寿命が尽きると、死骸が海底へと沈んでいき、圧縮された堆積物として時間をかけてドロマイトや石灰石などの岩石に変成していく。石の檻に閉じ込めるという形で、これらの岩石は大気中の炭素約6兆トンの長期貯留庫として機能する。そもそも地球に生命を支えられるような大気があるのは、こうした自然の風化作用のおかげだ。

岩石風化の促進は気候変動への対処としては奇抜な戦略に聞こえるかもしれないが、そこには真っ当な理もある。気候変動が、化石化した炭素燃料を掘り出して燃やすことによって自然の炭素循環の一部を人為的に加速することに当たるのであれば、炭素を地中に戻す処理を加速することはスマートな対応と言えそうに思える。風化作用促進の化学は複雑ではない。かんらん石と呼ばれるありふれた天然鉱石を岩がちな地域にばらまけば、ケイ酸イオンや炭酸水素イオンの流出が速まる。その結果、大量の二酸化炭素が大気中からさらに引き出される。

山肌やメサ（卓状台地）のむき出しの表面で化学反応を大がかりに進めることに躊躇するなら、高さ2メートルほどの人工構造物にまた別の炭素捕集処理をしつらえるという手もある。炭素の直接空気捕集（DAC）では、風車と船の帆を現代的に組み合わせた工学構造体を用いる。この構造体は婉曲的に「人工樹」と呼ばれており、本物の樹木が光合成で実際にしているように外気から二酸化炭素を取り込む。人工樹は敷地全体に広く分散させて、絶えず外気にさらされるようにする必要がある。外気が人工樹の合間を通り抜けると、その「葉」の表面で起こる化学反応が大気中の二酸化炭素を捕まえる。集められた二酸化炭素は化学物質から抽出・

移送され、どこか安全な場所、たとえば石油やガスが掘り出されたあとの地層に貯留される。

直接空気捕集には、数ある二酸化炭素除去戦略のなかでも最も分析的に設計された感がある。扱いの厄介な炭素問題の解決なら、適切な装置を緻密につくり上げれば事足りるとばかりに。自然界の最もよく知られた炭素回収生物の人工版をそれなりに大がかりに用意することで、十分な量の二酸化炭素を大気中から回集して、状況の改善を本当にスタートさせられるかもしれない。自然の樹木にとっても、効率のもっと良い人工の樹木の導入は許容できる援軍だろう。大気中から二酸化炭素をうまく捕集できるようになってくれれば、というパリ会議で表明された希望が実現に向けて動き出すかもしれない。デイヴィッド・キースはハーバードで太陽放射管理テクノロジーを試しているが、ジオエンジニアリングの分野で果たす役割としてこれひとつでは満足せず、カーボンエンジニアリングという名の企業にも名を連ねて、実効性のある直接空気捕集の開発と商用化に取り組んでいる。

惑星の優れた健康法

気候戦略としての二酸化炭素除去には好ましい点がいろいろある。まず、温室効果ガス問題の根本原因に太陽放射管理とは違う形で対処していると言えそうだ。太陽放射管理は温度を下げることで二酸化炭素の主な影響のひとつを覆い隠すが、温度上昇の根本的な原因、すなわち温室効果ガスそのものについては何もしない。それに対し、二酸化炭素除去は、気候を温暖化させているガスを大気中から除去するという形で根本原因に直接働きかける。

ほかにも嬉しい成り行きがある。二酸化炭素除去は現象ではなく根本原因に対処するので、太陽放射管理にはなしえない形で、海の酸性化という危険を徐々に軽減していく。大気中の二酸化炭素が減れば、世界中の海で炭酸も減る。サンゴ礁が自力で修復を始めて、サンゴ礁に頼る900万前後とも言われる種に語られざる恩恵をもたらすだろうし、カニやカキは甲殻を維持できるだろう。

嬉しいことはまだある。二酸化炭素が汚染物質と見なされるなら、二酸化炭素除去はまさに汚染物質の捕集と除去の一形態だ。嫌う要素がどこにある？　私たち全員には、自分たちが散らかしたものを始末する責任がある。それが地上にあっても、大気の層に混ざり込んで頭上を漂っていても。

ほとんどの技術的修復とは対照的に、二酸化炭素除去には人を安心させる自然さが備わっているとも言えそうだ。海、森、藻類、植物プランクトン、岩石はどれも二酸化炭素を大気中から取り出しているし、さまざまな細菌もしかりだ。同じことを大規模に始めるなら、自分たちは生物学的なルーツに敬意を表していると思っていいのかもしれない。細菌や植物もやっている。たぶん私たちは彼らの後に続くべきなのだ。

もうひとつ、その魅力を日々増している利点がある。何かと言うと、二酸化炭素除去は現在大気中に排出されている炭素の影響を軽減できるだけではなく、工業化が始まって以来排出されてきた炭素の除去もやり始めることだ。大気中の二酸化炭素濃度はすでに400ppmを上回っているが、産業革命の始まった頃は280ppm、つい最近の1975年でもまだ330ppmだった。害をもたらすこのガスをホモ・ファベルが空へ放ってきたペースは、1970年代以降倍増してきた。ほとんどの気候科学者が、そして近年の気候サミットでは政治家や外交官の大半が、二酸化炭素はすでに多すぎるという見解で一致している。ある有名な気候関連組織は、大気中の二酸化炭素濃度の上限を350ppmとすることを求めているが、地球の二酸化炭素濃度はこの数字をもうはるかに上回っている。

すでに大気中にある炭素には、数々の影響を何千年と持続させる力がある。大気圏に含まれる炭素の濃度を許容レベルにまで回復させる気なら、現状の炭素排出の削減だけではなく、すでに排出された分への対処も必要だ。二酸化炭素除去にはそれができる。太陽放射管理にはできない。太陽放射管理では排出された炭素はすっかり大気中に残る。いずれ自然のプロセスで再吸収されはするが、それには数千年かかる。このタイムラグのせいで、世界中の大勢の弱者や数多くの絶滅危惧種に大きな苦難や苦痛がもたらされるのは必至だ。

二酸化炭素除去と太陽放射管理との根本的な違いは際立っている。二酸化炭素除去が本当に(王立協会による分類どおりに)太陽放射管理の親類だとしても、かなりの遠縁と言えよう。地球環境を形づくるテクノロジーは不穏に見えることもあるが、そうしたテクノロジーの時代において、二酸化炭素除去は新鮮なほど健全な企てに映り、必死の応急処置という感が太陽放射管理よりきわめて薄く、惑星の優れた健康法という感がかなり強い。

バイオ燃料と組み合わせて

とはいえ、二酸化炭素除去に関して聞こえてくるのは希望を持たせる話ばかりではない。なかでも気になるのは、求められている行動計画に少しでも沿って、必要なレベルの炭素除去が技術的ないし経済的に実現可能かどうかが、定かではないことだ。温度上昇を対応可能なレベルに保つべく検討されている道筋の大半が、この技術を今から頼りにしているというのに、検討されている戦略のどれをとっても、適切な規模で実現可能だとはまだ実証されていないのである。

また、二酸化炭素の直接空気捕集では土地などの膨大な天然資源が求められ、規模や生態系への影響が及ぶ点で今日の石油・ガス産業に匹敵するような、工業スケールのまったく新しいインフラ開発が必要となる。捕集のための各種化学処理を効果的に稼動させるとなれば、製造や輸送の要件は桁外れだろうし、電力や真水への需要は莫大だろう。

それに、美観の点でもコストが高い。人工樹は本物の樹木のもつ美に欠けるうえ、鳥や昆虫の棲み処としてはほとんど役に立たない。キースのカーボンエンジニアリング社が提案している炭素捕集装置は、1960年代に見られた最悪の部類のオフィスビルと巨大なホバークラフトを足して2で割ったような外観だ。数段重ねの金属モジュールに備わった巨大なファンが、二酸化炭素の捕集液で濡らされた面に外気を当てる。ファンを回し続けるための電源が近場に必要となるだろうし、全体をパイプなどのインフラで取り囲んで、飽和した液体をどこかへ移して処理することになるだろう。

二酸化炭素を捕集する未来において、外観面のインパクトは大きい。発電用の風力タービンが列をなしてどこまでも続く景観に、炭素を回収する捕集塔の森が加わることになるだろう。溶剤の流れる面の露出を維持したり炭素で飽和した液体をどこかへ移したりするのに必要な装置からは、騒音が絶えないはずだ。そうした構造物が立ち並ぶ光景は、それなりに優れた技術的成果とされるだろうが、美観の点では悪夢となるだろう。その設置に伴うメンテナンス用道路、インフラ、生態系の混乱を見たら、風力タービンの設置を巡る現在の論争が子供のお遊びに思えてくるに違いない。美観の問題の埋め合わせとなる要素があるとすれば、このインフラが大気中の二酸化炭素の問題を（生むためのものではなく）解消するためのものという情報だけだ。

二酸化炭素除去方式の多くは、費用がかかるうえ、既存の経済を大混乱に陥れる可能性もある。人工樹は安上がりにはつくれないだろうし、大規模な植林をするなら大量の食用作物が脇へ追いやられるだろう。岩石の風化作用を強化するには、かんらん石を大量に掘り出してどこかにばらまかなければならなくなる。戦略によっては合法性さえ疑わしそうだ。たとえば海洋肥沃化は、有害な物品の海洋投棄に関するロンドン条約ですでに禁止されている。

　要するに、二酸化炭素除去は万能薬ではない。大筋のアイデアとしては正しいほうへの動きに見えるし、私たちがすでに大気圏に投入した分の炭素を減らすために何らかの形で必要になりうるが、現在検討されている各種戦略は、その実現に向けて技術的および社会的障壁の数々に直面している。さまざまな二酸化炭素除去テクノロジーを取り上げたある信頼できる調査報告書は、「大規模な二酸化炭素除去から正味でプラスになる環境的および社会的利益が得られるかどうかは到底定かではない」[6]という考え抜かれた控え目な表現で熱狂に水を差している。こうした現状はどれも、二酸化炭素除去が気候問題を解決する魔法の銃弾になりうるという期待に反している。

　あいにく、気候を巡る国際政治は、パリで合意に至った大筋の目標を達成可能にする手段として、二酸化炭素除去に早くも大きく頼っている。気候変動に関する政府間パネル（ＩＰＣＣ）から２０１４年に発行された第５次評価報告書では、国際社会が気候に関する目標を何とか達成したいなら、バイオ燃料の生産と利用に二酸化炭素除去テクノロジーを組み合わせること、いわゆるＢＥＣＣＳ《ベックス》（Bioenergy with Carbon Capture and Storage）が絶対に必要だとされている。

　気候関連の文脈で言うと、ＢＥＣＣＳとは、燃やす燃料を化石化したものから栽培したものに切り替えることに当たる。燃料作物を燃やして排出される炭素は、作物がその生涯に光合成によって大気中から吸収してきた炭素の量と大ざっぱに等しいので、バイオエネルギーを使えば理論上はカーボンニュートラルに迫れる。

カーボンニュートラルなエネルギー供給は良い出発点だが、新たなテクノロジーの手を借りてもっとうまくやることが期待されている。バイオ燃料の燃焼による二酸化炭素の排出を回収して地中に永久に貯留できれば、それはカーボンニュートラルではなくカーボンネガティブとなり、地球は大気中の二酸化炭素が正味で削減されるという恩恵を受ける。バイオエネルギーの利用と二酸化炭素の捕集・貯留の実用化により、「ネガティブエミッション」というきわめて望ましい目標が達成されるのだ。排出する以上の二酸化炭素が差し押さえられ、大気中の温室効果ガス濃度が悪化するどころか改善されるのである。パリで締結された気候に関する国際合意の屋台骨は各国の国家戦略なのだが、その多くで、向こう数十年のエネルギー供給にBECCSが幅広く用いられるようになることが想定されている。

現段階では、BECCSの実現に向けて障害がいくつもある。適した作物、その生産や土地の利用に求められる要件、その途方もない規模の農地転換に絡む政治、生産されたあらゆるバイオマスを燃料に変換する適切な工業処理。こうした問題がどれも未解決だ。また、バイオ燃料生産の炭素集約度が今よりはるかに低くならなければならない。それに、生産された燃料のエネルギー強度が適切であることも求められる。なんといっても、すりつぶした麦わらで飛行機は飛ばせない。加えて、バイオマス火力発電所からの二酸化炭素回収に必要なテクノロジーには、実用化できるほどの経済性がまだない。進歩が見られてはいるものの、IPCCにはB

ＥＣＣＳへの熱の入れようについて、取らぬ気候対策タヌキの皮算用にすぎるという批判もあるかもしれない。

人類は「神の責任」を担えるか

人類が行動の自由をみずからに与え、あらゆる主要問題をテクノロジーで解決する。そんな合成の時代に向け、気候変動への取り組みに対して大胆で魅力的な提案がいくつかなされている。アクセル全開の変成新世ともなれば、気候システムは総体として、太陽放射管理や二酸化炭素除去といったテクノロジーによる操作の対象となるだろう。該当するテクノロジーの多く、特に二酸化炭素除去に分類される側のものには、追究する価値が十分にある。航空機業界の大物リチャード・ブランソンはヴァージン・アース・チャレンジという賞を創設し、大気中から二酸化炭素を適切な規模で除去するための安全で、効果が実証された、経済的に持続可能な手法を初めて開発した組織に２５００万ドルを用意した。[7] 現代社会において最も難しい部類に入るこの問題の技術的修正を見つける――研究者はそんな機会を前にしてうずうずしている。そうでなくとも、このようなテクノロジーを商用化できた暁には大金が手に入る。

熱狂する者がいる一方で、大きな不安を抱く者もいる。これまで空は大地とは違う形で、人類による意図的な干渉の禁止区域となっているように思えていた。[8] 大気圏ほど、人類の意図的な干渉からの独立を保ち続けてきたシステムは地球になかった。二酸化炭素除去と太陽放射管理のどちらにおいても、地球の薄い大気の皮を自然なあるいは手つかずの状態で残すという考え方はすっかり却下されている。アル・ゴアからビル・マッキベンまで多くの気候活動家が指摘してきたとおり、気候を変えるということは、何もかも変えるということだ。気候の意図的な操作に乗り出せば、人類はまったく新たな領域へと導かれるだろう。変成新世における人工化のトレンドは惑星規模になる。私たちから独立している物事の持つ価値について、従来の環境思想はまた大きな一撃をくらうことになるだろう。成層圏以下は何もかも私たちが形づくっていることになる。

体じゅうがうずくような興奮から身を震わせるような恐怖まで、気候工学の未来が各人にどのような反応を引き起こそうとも、それについて考えることは空を新たな目で見ていることになる。変成新世に気候工学が当たり前のことになるなら、宇宙空間に初めて達した宇宙飛行士に認識の変化が起こったときと同じように、私たちと天空との関係は後戻りできないシフトを経るだろう。空はもはや、遠くに星のまたたく丸天井、あるいは頭上をすっかり覆う無限の天蓋といった単純なものではなくなる。人類がみずからの幸福のために意図的に微調整を続けていく管理対象システムの一部となるのだ。

気候工学を取り上げた『リメイクされる惑星（*The Planet Remade*）』の著者オリヴァー・モートンは、この新たな役割の重要性を理解している。彼に言わせれば、大気圏を微調整することは、「人類にとって人類たることとは何か、自然にとって自然たることとは何かを変える。人類の帝国を冒涜という境界の先へ連れて行く」。哲学的に重要な意味において、空は人類軌道に乗ると地球に激突させられるだろう。

哲学的ないし宗教的な思いに耽るには遅すぎる、と気候工学の主導者らは言う。私たちによるずいぶん前の行いが、大気圏の健全さと独立を損なった。物事を力ずくで元に戻す唯一の望みは、この道筋を先へ進み、大気圏の状態を逆行させることしかない。

この対処に訴えるところがないわけではない。私たちは大気圏を大いに乱してきた。できることは何をしてでも、その後始末をすべきではないのか？

だが、気候工学による極端な類いの惑星管理には途方もない代償が伴い、そのことは気づかれていないわけではない。環境ライターのジェイソン・マークはこう言う。気候工学の導入はある種の「実存に関する不安」を生むだろう。日々、いつなんどきでも、気候のやることなすことすべてが人類の責任になるのだから。この責任に私たちは絶えず震えおののき、「地球のバランスを保っているように見える手綱を握った手が滑る」[9]可能性を心配することになる、と。気候をやりくりする時代の人生は、絶えずぴりぴりしているものになると言うのだ。

『ニューヨークタイムズ』紙で気候危機をよく取り上げてきたジャーナリスト、アンディ・レヴキンも同じような趣旨で、気候工学の未来は私たちの心のなかに「興奮と不安の入り交じった落ち着かない感情」をつくり出すと指摘する。気候工学は陶酔してしまいそうな力を約束するが、その力にはひるみそうな責任も伴う。最初はアドレナリンが体じゅうを駆け巡るが、そのあと吐き気が襲ってくる。

変成新世の思索者にとって気候工学が最高の夢なのか最たる悪夢なのか、ときとして判断のつかないこともある。おそらくはどちらも入り交じったものだ。高度なテクノロジーを慎重かつ意図的に駆使することで、ある種の生活様式が故意ではなく招いた途方もないスケールでの影響を取り消せたなら、人類は気候危機への捕らわれから解放されたことを祝い、世界全体として大きな安堵のため息をつくことができよう。同時に、ほかに並ぶ種のない創意を持ち合わせているとして、わが身をほめていいだろう。

この移り変わりのとき、私たちは変成新世の先行きに目を凝らしながら、自然の秩序の再編にどこまで深入りすべきかという現実的な選択に直面している。地球は悪戦苦闘している。私たちは何かしなければならない。具体的にどの程度の介入が必要なのかは実に難しい判断だ。私たちの持てる力をどこまで発揮するのか、大きな選択の数々が迫られている。なかでも、手綱を握って気候工学に積極的に乗り出すかどうかは最大級の選択のひとつだ。

気がつけば私たちは落ち着かない立場にいる。手つかずの自然界を保護して介入せずにおく必要がある――そんな指針にまだしがみついていた頃の人生はもっと単純だった。かつてみずからの発明や装置が文化の枠内で機能することさえ保証すればよかったのが、今の私たちが直面している未来においては、生物や生態系や大気圏の絡む各種プロセスがこの惑星全体で一体となって機能することを保証しなければならない。このことを、気候工学を基本的に支持しているモートンは、かつて神の責任だった領域を人類の責任範囲に変えることに伴って避けられない代償と認識している。

これが劇的な変化であることは間違いない。過去に経験のないほど大きな役割を引き受けようというのだから。人間界と自然界とを隔てる細くなるばかりの線はいよいよ消え去るだろう。人類史と自然史は合体しだす[10]。

そして、地球システム管理においてこうした大きな作業を担当する割合が増えるほど、私たちは自分たちが何者であるかを取り消しの効かない形でいっそう変えていくのだ。

第10章 人工人類

合成の時代は、地球史のほかのどれとも異質の年代になるだろう。地球の最たる基本機能の多くを人類の設計と欲望が決めていくようになるからだ。人類は、完新世以前の地球のやり方を大ざっぱな目安に設計することもあるだろうし、自然から与えられてきたものを改良するような形で世界をつくり変えると決めて、別の道を行くこともあるだろう。ジョージ・ホワイトサイズは合成生物学の未来を取り上げた記事のなかで、「私たちに進化をしのぐ設計ができるかどうかを試すのは素晴らしい挑戦となるに違いない」と述べている。[1] 原子から大気圏までというスケールで「自然をしのぐ設計」を試みることで、地球は今とはますます違う惑星になっていくだろう。

アクセル全開の変成新世の場合、人類は以前の世代には想像もつかないような役割を果たすことになる。合成テクノロジーは、物質の性質、DNAの配列、生態系の組成、地球に届く太陽放射の量など、惑星としての基本特性を定め直せるようになることを請け合っている。それをふまえると、私たちの子孫が生まれてくる世界は、地質スケールの時間によって授けられたものではなく、以前の世代が意図的に選んでつくったものになるだろう。言い換えれば、人と惑星との関係に特筆すべき変化が起こる。私たちが何者で何をするかに地殻変動が起こるのだ。

そんな驚異の新テクノロジーを歓迎している一部の熱烈な未来派は、新たな役割を引き受けるという展望がなぜ躊躇の理由になるのかと首をひねっているかもしれない。大勢にとって、地球のつくり変えはホモ・サピエンス物語の次の展開としてまったく理にかなっているようだ。知識と能力があるなら、なぜ一段と大きな役割を引き受けて環境を形づくっていこうとしないのか？ 何と言っても、人類以外の動物も皆そうしている。彼らはあるがままの世界をそのまま受け入れて手をこまねいてなどいない。環境への働きかけはそもそも生命に必須の特徴なのだ。人工衛星や高度なコンピューターモデルを擁する人類は、監督者として特殊なタイプである。よく考えて手際よく地球を管理する方法を考え出せたら、自分たちにとっても、この惑星を共有しているほかの生き物にとっても、より良い未来を確保できるかもしれない。

こうした姿勢は、現実味があって情報に基づいており実践的、と見えてもおかしくない。それに引き換え、人と惑星との関係の変化を憂うことは、いくらか抽象的かつ哲学的に過ぎるように響く。変わるのは私たちそのものではなく、私たちが選んで行う物事だ。この新たな役割を引き受けたからといって、私たちに頭がもうひとつできるわけでも翼が生えてくるわけでもない。変成新世の熱心な支持者からは、次のような声が聞こえてきそうだ。すなわち、地球の機能の数多くをつくり上げるという新たな役割を引き受けるとはいえ、私たちはすっかり人間のままであり、これまで歩み続けてきたのと同じ道のりをさらに先へ進むだけである。

だが、合成の時代の先へと進むにつれて、そうは言えなくなってくる。すっかり人間のままというシンプルな主張さえ、必ずしもそうと言えなくなるかもしれない。この身を取り巻く世界のために私たちが開発している合成テクノロジーが、ほどなく私たち自身に向けられる可能性がある。そうなった暁には、人間の基本的な本質はこれからも不変、という確信はどんどん揺らぎだすはずだ。

闇夜に向けた砲弾

2016年5月、ハーバードメディカルスクールで非公開の会合が行われた。参加者は議論の内容をツイートしたりニュースメディアに語ったりすることが禁じられていた。出席した150名ほどの科学者の目的は、過去に実施されたどれとも違うゲノム計画に乗り出す可能性を議論することだった。主催者は内密にする必要性について、この会合のテーマを扱った査読のある論文が著名雑誌での公開を控えていることを理由に挙げた。それは本当のことだったたかもしれない。だが、扱うテーマの物議をかもしそうな心穏やかならぬ性格をふまえてのことだったかもしれない。

この会合に先立つ時期、分子生物学では成分物質からゲノムを合成する技術の普及が進んでいた。件《くだん》の会合の時点で、この技術の使用実績は細菌や酵母菌のゲノムのようなきわめてシンプルなゲノムの合成だけだったが、技術の向上に伴って、より高等な生物のより長いゲノムづくりを考えられるようになりつつあった。ハーバードメディカルスクールにおけるあの会合で話し合われたのは、過去に例のない最も複雑なゲノムの合成計画、すなわちヒトの全ゲノムの合成についてである。参加者は、向こう10年でヒトがヒトを実験室でゼロから遺伝子単位でつくり上げられるようになるまでの筋書きを考えていた。

この会合を実現させた合成生物学の技術は、クレイグ・ヴェンター、ジェイ・キースリング、スヴァンテ・ペーボが過去にそれぞれ細菌、酵母菌、ネアンデルタール人に関する研究で用いていたのと同じ遺伝子合成・編集技術である。あの会合の時点における最新技術は、ヒトゲノムの30億塩基対をつなぎ合わせられるレベルにはほど遠かった。合成に成功していた最長のゲノムは約50万塩基対であり、細胞核と染色体を持つ生き物として初めてゲノム合成の候補となった酵母菌の、1200万塩基対さえまだ未来の夢物語だった。ヒトゲノムは酵母菌と比べて250倍長く、合成実績のある細菌界の何と比べても6000倍近く長い。

主催者は、あの段階でこの目標はまったくもって野心的であることを承知していた。ただ、

30億塩基対を組み上げるのに必要なテクノロジーをすでに手にしていたとしても、合成されたヒトゲノムを代理母から取り出された卵に挿入する、という作業を倫理的に許す者がいるかどうかは疑わしい。科学者が絶滅から蘇らせようとするなかで２００３年に生まれたブカルドの障害が示したように、ヒトゲノム一式を脱核された卵に挿入する試みは、良心的とは言えない酷な結果を招くだろう。こうした倫理的な疑問があるにもかかわらず、ヒトの全ゲノム合成という目標は、この先達しうるさまざまな段階について、会合を開いてその筋書きを考え始める価値があると判断されたのだった。

各種メディアがこの会合について報道し出したとき、市民の示した反応は概して嫌悪だった。主催者は会合後の声明において、「ゲノムの出自が生きて息をするヒトの性細胞ではなく瓶入りの化学物質だけというヒトを実際につくる」という野望から距離を置こうと努め、この計画（当初ヒトゲノム計画2と呼んでいた）[2]の主な目的は、遺伝子合成技術の向上だけだと主張した。また、このテクノロジーの研究によって、ウイルス耐性のある未来の細胞の開発が、さらには移植に適したヒトの臓器に育ちうる原細胞の作成も、将来的に実現しうると述べた。会合の登壇者も、複雑ながん遺伝子型の合成によって病気のモデル化が向上し、的をより絞った遺伝子治療が実現されるだろうと語った。

神経質になっていた主催者はこうも主張した。この計画の対象はヒトだけではない。ほかの動物のゲノム合成も計画に盛り込まれており、そもそもの狙いは実際の胚の作成ではなく、機能する細胞の作成だ。ゲノムをつなぎ合わせるという難しい技をマスターすれば、人類にさまざまな恩恵がもたらされるし、そのこと自体が大きな科学的関心を引くだろう、と。非難をかわそうとする主催者による発言の全体的な趣旨は、数十年前のリチャード・ファインマンによる有名な言葉と相通じるところがある。何かをすっかり理解するためにまずなすべきは、そのつくり方を知ることだ。

警戒心を和らげようとこうして配慮したにもかかわらず、メディアからもほかの合成生物学者からもすぐさま激しい反発があり、ヒトゲノムの合成という発想が倫理的に受け入れがたい何かしらの一線を越えていたことがわかる。スタンフォード大学の生物学者ドリュー・エンディは、バイオブリック財団の立ち上げに尽力した人物であり、日頃から合成生物学を熱心に支持しているのだが、この会合に関わった者たちには立ち止まることを勧めた。「彼らがその実現をめざして話題にしていた作成能力の対象はヒトを定義するもの、すなわちヒトゲノムだ」と彼は指摘する。エンディと彼の同僚のローリー・ゾロスは、この会合の主催者に宛てた公開書簡で、代わりとしてあまり物議を醸さずもっとすみやかに役立つゲノムの合成を追求してはどうかと提案した。[3] 元祖ヒトゲノム計画を率いたフランシス・コリンズも、この手のヒトゲノム合成計画に対しては「倫理的および哲学的な警告がすぐさま幾つも発せられる」[4] だろうと注意を促した。ヒトゲノムの合成は大勢の目に科学の無責任な利用と映ったのだった。

ヒトによるゲノムの自己合成ともなると物事を新たな次元に引き上げるかもしれないが、テクノロジーを利用して生まれつきの能力を向上させる営みなら目新しいことではまったくない。人類は何千年も前から、生物学的および生理学的な能力を強化する仕掛けを採り入れてきた。何かしらの課題を克服しやすくするためにテクノロジーやデザインを採用していいなら、暮らしの質を高められる機会を捉えない手はない。２５００年前のペルシャで木製の義肢を装着したのに始まって、現在では特定のニューロンを刺激する脳のインプラントの開発が進められており、テクノロジーと人体との融合が高度になっていくことを、私たちはそういうものと思うようになっている。

哲学寄りの者に言わせれば、肉体としての自己と補助装置との接続をいっそう緊密にすると、ニュータイプの自己がつくり出される。人体が自然と人工との融合の場になりうるという発想は、今や特異なものではない。人体がテクノロジーと融合することで、私たちは生物部品と人工部品の両方でできたある種のハイブリッドと化す。

人体と機械の統合という発想からは、「サイボーグ学」と呼ばれる新分野が生まれてきた。機械部品の助けを借りると暮らしの質を高められることはさまざまな状況で受け入れられており、心臓のペースメーカー、コンピューター制御のロボット四肢、神経のインプラントなどがそうした機械部品として挙げられる。だが、サイボーグが特別に複雑である必要はなく、生物と人工物との融合は老眼鏡や歩行器の使用くらいシンプルなことでもいい。人間と機械の境目が薄らぐほど、使い勝手は概して良くなる。時代が進んで補助装置が複雑になるにつれ、人間とそれを補助する機械とをはっきり区別していた線がぼやけつつある。サイボーグ学に携わる多くが、それを良いことだと考えている。今日ニューロン刺激の第一人者に数えられているチャールズ・リーバーは、自身の研究の明確な目標のひとつが、「私たちの知っている電子工学と私たちの脳の内部にあるコンピューターとの区別をあいまいにすること」[5]と語っている。

だとしても、ヒトゲノムのゼロからの合成は計画の目標としてまったく異質で、サイボーグを組み立てるのとはわけが違う。ヒトゲノム合成の目指すところは、ヒトと人工物を融合させたものをつくることではなく、ヒトをすっかりつくり変えることだ。ビル・クリントンとトニー・ブレアは２０００年の元祖ヒトゲノム計画の完了時に、私たちのゲノムは何か特別なものを表していると指摘しているし、私たちのゲノムは大勢から私たちの本質だと理解されている。ハーバードメディカルスクールで行われた秘密厳守の会合への反対意見でエンディとゾロスが主張しているように、ヒトゲノム合成は「今現在人類を残らず単一種にまとめている中核を根本から再定義する」[6]ために利用されうる。遺伝子がこのレベルでつくり変えられたなら、ヒトをつくる遺伝子が遺伝学的に言って残らずヒトゲノムマップに属していたとしても、ヒトという種は何か本質的に違うものになるだろう。進化ではなくテクノロジーの産物となるのだ。過去に起こった何よりもはるかに重大な意味で、「自己複製」する生物となる。人類は初めて、科学者によってつくられたゲノムを持つようになる。生物としてではなくテクノロジーによって自己複製するようになる。これは単なる体外受精ではない。言ってみれば体外作成だ。

こうした動きが英断と言えるかどうか、控え目に言っても疑問符がつく。クレイグ・ヴェンターは２０１６年に細菌の最小ゲノムの合成に成功しているが、それを同僚とともに実験室でつくったはずの本人が、つなぎ合わせた遺伝子のまるまる３分の１の機能が不明だと白状せざるをえなかった。当人たちが、この３分の１はその細菌が生きるために見たところ欠かせないのだが、それらが何をしているのかがまったくわからないと打ち明けたのである。普段は自信満々のかのゲノム学者は、このプロジェクトの過程において「私たちは生物学の基本知識についてはるかにもっと謙虚でいなければならない」[7]ことを学んだと認めている。ヴェンターのチームがつくった細菌と比べて６０００倍長い合成ヒトゲノムには、その機能が謎に包まれたままのＤＮＡが大量に含まれることになる。ヒトは自分が何を構築しているのかを完全には把握しないまま、みずからを遺伝子単位でつくり変えようとすることになるのだ。ホモ・ファベルは自らの遺伝的アイデンティティに関わる絶大な力を持つ砲弾を闇夜に向けて撃とうとしているのである。

肉体を超越する

ヒトによる自己合成が変成新世の地平線にその姿をおぼろげに見せているが、その形態は手づくりゲノムだけではない。ＤＮＡが各人の本質と言うに値するのであれば、同様に値するものとして精神が挙げられる。精神はもしかするとDNAより、アイデンティティの一面として謎めいており、捉えどころがないかもしれない。自意識をつくり出すうえで精神の果たす役割は計り知れない。ヒトの精神をつくり出す試みは、私たちを未知の領域のはるか奥深くへと導く。ゲノムを扱っている分には、私たちの核をどう改変したところで生物の領域には留まるが、意識を扱うとなればそんな保証はない。

10年ほど前、ナノテクノロジーと人工知能の専門家であるレイ・カーツワイルが『ポスト・ヒューマン誕生』（NHK出版）と題した本を書いた。彼は600ページを超えるこの大部において、急激に向上するコンピューターの処理能力によって実現される未来を予想し、その展望を探っている。原書の副題「人類が生命を超越するとき（*When Humans Transcend Biology*）」がつまびらかにしているのは、処理能力の継続的な上昇による避けがたい成り行き、とこの著名な未来学者の信じるところだ。ゆくゆく生物としての人間を超越することである。

カーツワイルは技術開発において特筆すべき実績を上げてきた人物だ。1970年代には、印刷文字をデジタル情報に変換する光学式スキャナー開発の最前線にいた。その後間もなく、文を音声に変換する最初の音声合成器をつくった。また、スティーヴィー・ワンダーの協力を得て最初のキーボード式シンセサイザーを発明してもいて、アメリカの暮らしや文化を変えた発明の数々に対してビル・クリントン大統領から国家技術賞を授与されている。

カーツワイルは『ポスト・ヒューマン誕生』において、人工知能機械が人間の脳ではとうてい対抗できない圧倒的知性を獲得する未来を予想している。そうなる時を彼は「シンギュラリティ（特異点）」と呼んでいるのだが、この呼び名の出どころは、ブラックホールにおいて既知の物理法則がすべて破綻する点を指す物理学用語である。シンギュラリティの先については、いかなる予想もなしえない。シンギュラリティとは、カーツワイルに言わせれば、「その向こうを見通すことが難しい」という事象の地平線なのだ。それほどの圧倒的知性が実現されたなら、それは理解を完全に超えるものとなり、私たちをまったくの別世界へと誘《いざな》うことだろう。

シンギュラリティへの道のりにおける初期段階のひとつは、人間の脳に匹敵する計算処理能力をもつ機械の製作ということになる。カーツワイルはそれが２０２０年前後に実現すると予想する。人間の脳は生物界最強の機械なので、この段階を越えるとなれば、それは進化に対して途方もない意味を持つことになる。カーツワイルはその意味を「重要性において生物そのものの出現に匹敵する」[8]と言う。生物が35億年かけてどれほどの情報処理能力を達成したにしても、テクノロジー社会がそれを追い越したことになるのだから。[9]

生物の脳の能力と非生物の計算処理能力との融合はその後も続く。カーツワイルはそう見ており、２０２９年までに人間の脳の機能は情緒面も含めて何もかも正確にモデル化できるようになると予想している。モデル化の方法がわかったなら、その機能はほどなく脳外の機械上で再現できるようになる。そして２０４５年までには、人間の知性と成長を続ける計算処理能力との融合が、私たちの集合的な知能よりも10億倍も強力になっているだろうとカーツワイルは予想している。これがシンギュラリティの到来を告げることになる。

シンギュラリティの先、人類の未来は知りようがなく、私たちは理解を超えた「人間−機械文明」に生きることになるとカーツワイルは考えている。与えられる選択肢のひとつは、自分の脳に宿る精神の特質すべてを別個の「コンピューティング基板」にアップロードすることだ。これは、精神が脳から離れられるようになることを意味する。すると、思考に関する生物固有の限界はもはや問題ではなくなる。それまでどのような制約があったにしろ、すべて生化学ではなくテクノロジーによって定義されるようになるのだ。人間はまったく異なる動物になる。というか、この段階になると動物という言葉が適切とは言えないかもしれない。

ドキュメンタリー作家のジェームズ・バレットは、脳から持ち出せる精神を持ったなら、私たちは「人類の時代の先」へ移行することになるだろうと語っている。私たちが「ポスト生物」種になったら、サイボーグ——人間と人工物がそれぞれ欠かせない役割を果たしている実体——という発想は意味をなさなくなる。シンギュラリティを過ぎたら、生物としての人間はますますなくて済むようになるだろう。このシフトに直面したなら、人間であるとは実際どういうことなのかがはっきりしなくなる。そんな未来が総じていかに人を戸惑わせるものかを承知していたカーツワイルは、読者の心を落ち着かせようと、「未来の機械は人間である。たとえ生物ではなくとも」と主張している。だが、私たちに少しでもそれとわかる形で人間らしさが何かしら残るのか、現時点では定かでない。ナノテクノロジーや合成生物学のような、物事をとことん操作できるテクノロジーの力で、私たちは物理世界の物質的な限界を超越できるようになる。しかし、それだけではない。肉体に収められた自己も超越できるようになる。

カーツワイルの言うとおりなら、遺伝学、ナノテクノロジー、コンピューター科学に当然見られる進歩の導く先では、世界がつくり変えられるだけではない。私たち自身もつくり変えられるだろう。彼の予想からは、そうしたテクノロジーの力を世界を変えるために使うことと、私たち自身を変えるために使うこととのあいだに、危うい領域があることがはっきりわかる。

ビル・マッキベンは、遺伝子テクノロジーのどこかに線引きをして「もう十分だ！」と叫ぶよう切に願ったが、それは私たちは人間であり続けるために必要なことをしなければならないと考えているからこそだった。だが、マッキベンの言う一線を越えて「ポストヒューマン」ないし「トランスヒューマン」の世界へ移行したいと強く願う者は必ずいるだろう。カーツワイル本人はこの移行にためらいはない。そうでない者はマッキベンの側に立ち、こうした考えそのものに反発を続ける。

カーツワイルによるシンギュラリティという捉え方の狙いは、今の私たちの立ち位置からはとうてい想像できないほど現状からかけ離れた未来を提示することだった。彼の定義によれば、シンギュラリティ到来後の未来がどうなるかは知る由もない。人間の知性と計算処理能力との融合から得られうるすべてを把握することはもちろんできないが、私たちが何を手放すことになるかについてなら少しは感じ取れる。

4世紀前、フランスの哲学者ルネ・デカルトが、人間は2つの不可欠な部分の組み合わせでできている、という妙に非科学的なことを唱えた。彼はその2つを精神の実体と肉体の実体と呼んだ。「デカルト二元論」[10]として知られるようになったこの考え方はすっかり一般常識の一部と化しており、知性史における明確な一時点になされた影響力の大きい特定の言明に由来していると考える者は今日ほとんどいない。

デカルトの説が生き残ったのは、人間であるという実感と良く合っていそうだからだ。精神は私たちから見て、物質的な生身の体の中に存在する非物質的な心髄のようなものと映る。そう映ることに加え、デカルトは自身の見方と自身のキリスト教信仰とが相いれることに気づいていないわけではなかった。精神と肉体の分離というこの考えこそ、キリスト教信者に、そしてその他多くの宗教の信者に、死後の世界を納得させる。

だがこの見方は、のちにダーウィンが進化論に絡んで私たちに残していったすべてと明らかに相いれない。人間はひとえに長きにわたる自然な進化の過程の産物であり、生物界のその他すべてと同様に共通祖先の子孫だ。そう唱えるダーウィンの説と、デカルトの唱えた二元論はどうしてもぶつかるのである。精神と肉体には明確な哲学的境界がないことから、無神論者や不可知論者の大半が、死に際して肉体が消えゆくにつれて精神も一緒に消え去ると考えている。

その実現が間近だとカーツワイルの言うテクノロジーの数々は、すっかり浸透しているデカルトの洞察に新たな息吹を与えうる。私たちが精神として肉体の外で生き残れるなら、精神と肉体とのあいだ、私たちの意識的自己と生物的自己とのあいだに、ダーウィン論的統合が不可欠と考える必要はなくなるだろう。カーツワイルの世界においては、精神が肉体の死を超越できると信じるのに宗教的な信心は要らない。だが、信心を維持したいなら、古来の信仰箇条の21世紀向け更新版をトランスヒューマニズムがもたらすかもしれない[11]。意識をコンピューティング基板にアップロードできるということは、精神と肉体が無関係になりうるということだ。死を待たずしてそうなる可能性さえある。なにしろ、みずからの意識をアップロードして関係を断つ、と精神の持ち主が決めたらいつでもできるのだから。人間の本当の心髄は肉体とは別、といういにしえのデカルトの洞察が、新しくて現代的な重要性を帯びるかもしれない。

決断を下すのは誰か

分子製造、合成生物学、人工知能に携わるなかでも思索的な研究者のあいだで、今や従来とは根本的に違う何かが危機に瀕しているという感覚が強まっている。次々と実現されるさまざまなテクノロジーは、世界に異質の変化を引き起こしている。暮らしをもっと快適にしようと上っ面をなでている段階はもう過ぎており、みずからやその環境の奥深くに組み込まれている要素を私たちは変えている。

懸かっている物事の重大さをふまえると、実現間近の強力なテクノロジーの研究は進め方を変える必要がある。MITの進化形成ラボに属するある科学者がそう確信するようになった。合成生物学者のケヴィン・エスヴェルトは、今日さまざまな研究分野で手が届きかけている各種技術は世界を変える力があまりに強く、それらに取り組むうえではまったく新たなプロセスが必要だと考えている。その新たなプロセスが実現すると、懸かっている物事が市民に絶えず明確に提示され、ノーと言うための意味のある機会が設けられるようになる。科学が市民の関心のほうを従来よりずっと自覚的に向くようにするのだ。物事は見込まれる商業的利益とは関係なく運ばれ、秘密主義を特許に絡んで、あるいは大企業とその市場の意図に沿うように強制しようとしても、必ずや拒まれる。

エスヴェルトから見て、この見方がとりわけ関係してくるのがみずからの携わる研究だ。病気をうつす野生のネズミの集団に致命的な形質を広めうる遺伝子ドライブを放つ。そんな可能性を議論するなら、「透明性を完璧に確保して行うことが、地球から特定の種を一掃しうる実験の唯一の進め方」だとエスヴェルトは唱える。彼が主導する類いの科学は市民にすっかり開かれている（「何もかも」）[12]。プロジェクトのあらゆる段階に、市民にノーと言える機会が用意されるのだ。科学をもっと開かれた形で営むよう求めることは、エスヴェルトの個人的使命と化しており、彼は耳を傾けてくる誰とでもこの使命を共有している。この使命によって、彼は類似分野に携わるほかの研究者と対立することが多い。

キーコック・リーはそうした強力なテクノロジーを「ディープテクノロジー」と呼んだ。ダイアン・アッカーマンは「私たちを再発明する発明」と呼んだ。用語や言い回しはともあれ、私たちが手を出す合成の時代の側面が増えるほど、待っている未来ががらりと違ってくる。そんな未来に私たちの経験する現実は、大きなシフトだらけになりそうだ。そうしたシフトの規模をふまえると、さまざまな変化に目を凝らし、それを受け入れるかどうか、受け入れるとしたらどのような形で受け入れるのか、総意として決めることが重要そうに思える。待ち受ける変化はあまりに深くて大きく、テクノロジーの夢想家や経済的利益ばかり追い求める者の手にすっかり委ねるわけにはいかない。特定の道のりを進み、それ以外を避ける。意識してそう決めない限り、この先控える合成の時代は身の回りの世界を根底から再設計する場となるだけではない。私たち自身を根底から再設計する場ともなるだろう。

それをわくわくする未来と受け止める者もいる。そもそも、永遠に不変のものなど何一つない。だが、こうした変化の向かう先はわかりにくく、私たちは孤立してすっかり戸惑いながら、なじみがなく人知の及ばない新たな現実のなかを漂うはめにもなりうる。そうなる道筋に知らぬ間に引きずり込まれることだけは避けなければならない。

カーツワイルやエスヴェルトらが携わる活動は、変成新世の幕開けにおける各種テクノロジーが、前例のない倫理的精査を求められるほど強力であることを示している。自然について、そして自然とテクノロジーとの関係について、真剣に考えることが大事になる時期があるとすれば、それは今だ。こうした変化を受け入れるかどうかの決断を誰が下すのか、深く考えるべき時期があるとすれば、それがいつになるかは私たち次第である。私たちが生きることになる未来の選び方に、より民主的なアプローチを。そんな切なる願いは、ゆくゆく合成の時代の主な要請のひとつとなるかもしれない。

第11章 未来への選択

地質年代の切り替わりへの関心が近ごろ急激に高まっているが、そのきっかけはある小論の発表だとかなりピンポイントに指摘できる。パウル・クルッツェンがノーベル賞受賞者の肩書をすでに持っていた2000年、彼と海洋生態学者のユージーン・ステルマーが、人類による影響が総体として完新世からの離脱を引き起こしていることについて、彼らの見解を初めて披露した。人類が地球とその生物学的システムや地球物理学的システムを変えてきた度合いをふまえ、2人はこう結論づけた。「現在の地質年代に〝人新世〟という用語を採用して、人類が地質学的および生態学的に果たしている中心的な役割を強調するのが、実に適切なことだと我々には思える」[1]

2人がこのアイデアを発表した小論は無名の学術会報向けに書かれたものだったが、この小論を機に、人類の自己イメージが根本的にシフトし始めた。この惑星は私たちが元来思っていたほど巨大ではなかった。私たちの行動によってすっかり変わりうるものだったのだ。

2人の小論がそうしたシフトのきっかけとなった理由のひとつは、新たな千年紀に入る頃の市民が、人類の引き起こした惑星規模の変化という現象にいっそう目を向けるようになっていたことだった。環境絡みのメッセージが数十年にわたって発信され続けた末に、人類がみずからの故郷をひどく台無しにしているという状況が理解され、気候変動に対する世界的な懸念が強まってきたのである。地球が6度目の大量絶滅の真っ最中という指摘は、後ろめたさゆえの関心を抱く市民の心にしっかり根づいた。インターネットで検索すれば、ジャワトラやリョコウバトなどの絶滅種の印象的な画像を見つけられ、環境破壊が決定的であることがたいていの人の目にはっきりわかるようになった。サイやホッキョクグマなどの残存種が絶滅する恐れが注目を集め、クジラや熱帯雨林の保護に関するスローガンをステッカーやボタンなどによって煩雑に目にした経験を持つ世代を生み出した。

クルッツェンとステルマーの小論は、人類が地球とそのシステムに残している足あとがいかに大きくなったかを感覚的に捉えようとするものだった。その中で2人は、生物圏に対するよく知られた影響を挙げた長いリストに世間の注目を向けさせた。リストには、人類が真水を転用して使っている規模、人口の指数関数的な増加、農業用に固定される大気中の窒素の量、沿岸部のマングローブの森の破壊状況、放牧地を闊歩する家畜の数の爆発的増加、化石燃料の燃焼によって大気中に放出されている二酸化炭素や二酸化硫黄の量などが挙げられている。ほかに、地表面のかなりの割合——半分をゆうに超えている——が主に人類のニーズを満たすために転換済みであることも指摘されている。

「人新世」についての議論

2人の重鎮がとりわけ由々しき事態と考えたのは、人類による影響の規模が、対応する自然のプロセスを卑小に見せるほどであることだった。自然界では、たとえば窒素は空気中から絶えず、エンドウやインゲンといった豆科の植物と、それを手助けする兆単位の数の細菌によって引き出されている。だが同時に、窒素はハーバー・ボッシュ法で工業的に年1億トン以上捕集されており、この方法で毎年大気中から化学肥料として地中へと移されている窒素の量は、自然界の細菌によって捕集されている量の合計よりも多い。

同様に、農業、工業、都市化において機械の力で動かされている土壌や岩石の量は、今や風化による量を上回っている。世界中の河川にダムがあり、そこで塞き止められている水の塊は全体としてそれこそ惑星の自転を変えた。さまざまな種が人類の活動による影響のせいで、化石からうかがわれる自然減より1000倍速く絶滅に向かっている。そして、最たる惑星規模の変化のひとつとして、人類が大気中に放出した炭素は、自然の営みが少なくとも80万年、ことによると300万年かけて放出してきた量より多かった。自然のこれまでの営み方は、この地球に棲む勝手気ままなホミニドによって実現されためざましい工学の技と比べ、かなり古風で瑣末なものに見えていた。

その主張を年代の命名に関わる形で強調しようと、クルッツェンとステルマーは、地球史をさかのぼって今の時代を調査している未来の地質学者を想像した。堆積物や岩石に含まれる痕跡は、かつて起こった惑星規模の大きなシフトを地質学者に物語る。大気中の気体に見られる温度や濃度の急激な変動も、決まった種類の植物や花粉の爆発的増加も、海洋生物相の変化も、さらには小惑星の衝突によって残されたとわかる堆積物も、足下の地層を慎重に掘り出すことですべて特定され、その年代が確定される。

クルッツェンとステルマーは、この現代に堆積した土壌を詳しく調べる未来の地質学者を想像して、次のような結論に至った。すなわち、彼らが目にすることになる最たる特徴は、人類の営みに由来する痕跡となるだろう。堆積物からは土や水に惑星規模で配置換えのあったことが、化石からは種の絶滅するペースが非常に速かったことがうかがわれるだろうし、岩石の調査からはプラスチックなどの人工物でできたまったく新しい「技術化石」がいろいろ見つかり、ドリルで穴を空けて採取された氷床コアからは大気中の二酸化炭素濃度が急速に高まったことが明らかとなるに違いない。こうした具体的な痕跡はどれも、歴史上のこの一時期、地球は人類によって形づくられた惑星だったことを裏づけるものだ。

年代の切り替わりを主張するに当たり、クルッツェンとステルマーは目新しいことを何一つ言っておらず、同様の考えは過去に何度か試みに言明されている。のちにミラノ大学の地質学教授になった、19世紀イタリアの化石好きの司祭アントニオ・ストッパニは、人類の引き起こした変化が身の回りにいかに及んでいるかを見て取って「人生代（Anthropozoic era）」と表現し、人類を「地球の偉大なる力の数々に比しても、その力強さと普遍性の点で見劣りしない、新しい地上の力」と詩的に描いてみせた。[2]

大ざっぱにならば同時代を生きていたと言えるアメリカ人、トーマス・クロウダー・チェンバリンは、同じような考えを「霊生代（Psychozoic era）」という言葉で表現し、「人類はこれまで地質史に登場したなかでも最も重要な生物媒体である」、あるいは「地質学的推移の生物媒体および非生物媒体はいずれも人類に強く影響されている」[3]など、イタリアの同時代人よりややや詩心に劣る言い回しで熱く語った。人新世（Anthropocene：アントロポセン）という用語は、ロシアの地質学者アレクセイ・パブロフ――よだれを垂らす犬の話で有名な（イワン・）パブロフと混同することなかれ――が1922年に最初に思いついたようだ。だが、市民のエコロジー意識が高くなく、地球がまだ計り知れないほど大きく見えていた時代、人類の主導する年代という発想を説いて市民の意識に本当の意味で定着させることは、先人たちの誰にもできなかった。

その数世代後、現代のとあるライターが同じ発想の当世版を普及させようとした。気候変動に関連する環境運動や国連の京都議定書を多くの人々が気にかけていた1990年代中頃、

『ニューヨークタイムズ』紙のコラムニスト、アンディ・レヴキンが[4]、新たな時代の流れを表現しようと、「人類の時代」の意味で「アントロセン（Anthrocene）」という用語を使い始めたのだ。マッキベンが「自然の終焉」という見方をしたように、レヴキンにも何か大ごとが起こっているのがわかっていた。だが、レヴキンの選んだ用語は語呂がそれほど良くなく、そして彼にノーベル賞という肩書が欠けていたせいか、地質学上の大きな変化というこの発想を広めることはやはりできなかった。

新たな千年紀を迎えて意識が歴史に向いたからか、クルッツェンとステルマーによるあの小論がようやく、人類の主導する年代という発想を世に送り出すことに成功した。人新世に関する2人の考えが日の目を見たのは、市民が地質学に特段の関心を抱いたからではない。関心の対象は「人類の時代」の意味するところであり、人類の力について広げられた大風呂敷に、大勢が好むと好まざるとにかかわらず振り返ったのだ。人類が地質学的に見て、あるいはもっと言えば惑星の規模で無視できないという発想が人々の琴線に触れたのである。この用語はたちまち、学術会議や『ネイチャー・ジオサイエンス』、『地球物理学研究誌』といった学術誌の枠を飛び越え、世間でどんどん独り歩きをしていった。『タイム』、『ナショナルジオグラフィック』、『エコノミスト』といった雑誌の記事が、この用語を学問の場からもっと広い文化の域へと持ち込んだ。市民は岩石には相変わらず関心がなかったかもしれないが、惑星全体を形づくる力があるという未来に関心を示したのである。

この用語が広く知られるようになったことから、クルッツェンとステルマーによる造語を正式名称にするかどうか、世界屈指の地質学者たちが検討している。公式に命名することになるのは国際地質学連合に属する男女で、彼らはその役割の重さから環境ライターのロバート・マクファーレンから「地球科学の修道士であり哲学者」と呼ばれている。同連合が判断の主な根拠とすることにしているのは、国際層序委員会と呼ばれる下部組織からの助言だ。

その国際層序委員会から相応の資格があるとして依頼を受けた20名を超える研究者が、新年代の命名が正当化されるかどうかを評価すべく、気候科学、生物学、水文学、地球科学、古生物学などの分野から集められた大量の証拠をもう2年以上精査している。『サイエンス』誌2016年1月8日号の記事によれば、彼らは地球が「機能的」にも「層序学的」にも確かに完新世を抜けて人新世に入ったという予備的な結論に達している。国際層序委員会は向こう数年で、この作業部会による勧告を受け入れて答申するかどうかを決めることになっており、勧告どおりに答申されれば、今度は国際地質学連合がこの呼称を認定するかどうかを決めることになる。

どうやらしばらくかかりそうだ。地質学的な時間の尺度で測れば、急を要すると見なされうる公の作業はたいしてない。とはいえ、新名称の認定に向けて事はもう動いている。いかに稀《まれ》かをふまえると、新たな惑星年代への移行は歴史的な出来事であり、近年の新たな千年紀への突入さえ影が薄くなるだろう。こちらの歴史的通過点は1000年に1度、あらかじめ予想されるとおりに巡ってくるのに対し、新年代の到来は数百〜数億万年ごとだし、きわめて不規則だ。認定されれば、少々異例ということにもなる。なにしろ、始まったばかりで命名された年代は今までない。それに、これまでの年代でその最中に命名されたものも完新世だけであり、それも命名の時点で始まってすでに1万1500年が過ぎていた。一線はもう越えられていて完新世は過去のもの、という抗いがたい主張が国際層序委員会の作業部会によってなされたが、この先どう進めるのが最善なのかについては、現在大きな戸惑いが見られる。一部の者には、この新たな年代にまだ始まったばかりの段階でみずからの名を冠することが、大いなる地質学的うぬぼれ行為に思えている。年代の命名という慣行に慣れている者は、こうした決断をなぜそんなに急ぐのかと疑問に思っている。

年代の移行に関する議論全体が、出だしからつまずいているようだ。人類がその足あとを、どの人里離れた入り江にも、どの山の頂にも、どの大陸じゅうにも思いがけなく残してきたという事実が、内省の大きな理由に違いない。だが、次の年代を自分たちにちなんで名づけてみずからのだらしなさを寿ぐのにふさわしい機会だとは思えない。この先数千年のありようについて、決めなければならないことはまだ多い。この新たな年代のまさに始まりにおいて、それがどういったありようになるのか、あるいはなっていくべきか、私たちにはほとんどわかっていないのだ。

自然の気まぐれな力

今の段階で言えるのは、この先この世界で一部の者が、自然界をつくり変えられる尋常ならざる力をいつでも使えるようになるであろうことだ。人類は史上初めて、自然が何十億年と独力でやってきたことを自分でもやり始めるようになるだろう。気候、生態環境、分子レベルの生物機能は、徐々にそれぞれの人工版に置き換えられていくかもしれない。地球を形づくるうえで最も大きな影響を与えてきたプロセスが、人類主導の色を濃くしていくかもしれないのだ。

気候工学の研究者デイヴィッド・キースは、モンタナの地でアルバート・ボーグマンから習ったハイデッガー哲学にいくらか思いを巡らせてか、歴史における私たちの位置づけについて私情を交えずこう記している。「打製石器が発明されて100万年単位、農業が始まって1万年、ライト兄弟が空を飛んで1世紀。協力して道具をつくるという人類の本能から、今度はみずからのゲノムや地球の気候を操る力が授けられた[5]」

合成生物学や気候工学をはじめとするテクノロジーの進歩によって実現する力の重みを、キースは敏感に感じ取っている。彼が答えを出していない問いもある。私たちがそうした力を積極的に手に取り、みずからや世界をつくり変えることへの関わりを深めていくべきかどうかだ。気候工学研究の主導者だということで、厚かましいまでの惑星管理を支持しているように見えているかもしれないが、キースはかなり仕方なくそうしている。極北の原野へのスキー旅行が彼にとって持つ意味は今なおとても大きい。本当は乗り気ではないかの気候工学研究者は、人類の手の届かぬ自然界という発想に今でも思い焦がれていることを認める。

クルッツェンらが唱える実践的なアプローチを支持したくなる理由は容易に理解できる。ホモ・サピエンスという種は生まれつきの行動家であり修理工なのだ。私たちは地球という惑星システムに異常事態を引き起こして窮地に陥っているが、新たなテクノロジーの数々のおかげで、今ではダメージを一部修復できるようになる可能性がある。地球の根幹をなす代謝機能をいくつか定め直すことになるかもしれないが、うまくやれば、工学的な措置や生態系の管理を通じてこの惑星の配線を巧みに手直しして、私たちによるやり過ぎへの耐性を高められるかもしれない。その過程で、それまで堅固だった生態学的制約をかわす手立てを見いだし、永遠に残ると思っていたダメージを修復する技術を考え出せるかもしれないし、惑星規模の各種システムを回復させて耐性を高めることで、より楽観的な未来を期待できるようになるかもしれない。環境が以前ほど脆くなくなるかもしれないし、経済成長があまり制限されなくなるかもしれない。気候工学研究を支持するエコモダニスト、ジェーン・ロングはこう言う。この新たな現実に突入して数十年経てば、みずからつくり上げてきた管理と育成の世界に美を見いだす術を誰もが身につけているだろう。私たちはえてして、本気で世話をしている物事には愛着を感じるようになるものだ。

ロングやクルッツェンのようなエコモダニストの信じるところでは、こうした段階を経ることは適切であるばかりか避けて通れない。今の私たちは違う活動規則で営まれている違う惑星に生きている。そんな自覚が必要不可欠だ。クルッツェンは、私たちが古い考え方をおとなしく受け入れていることをきわめて残念に思っており、「我々は遺憾ながら公式にはまだ完新世と呼ばれている年代を生きている」と述べている。[6] 人類は年代の切り変わりを認めて行動を変え始めたほうがいいというのである。

私たちにはこれまでとは違う、より自覚的な行動が必要だ。この主張に一理あることは間違いない。今や物事は実際に違っている。だが、マッキベンと声を揃える多くが、そのより自覚的な行動が具体的に何かについては、クルッツェンの見解に組みしていない。みずからの影響の広がりを認めている真っ最中に自然の秩序への介入に備えるなど大きな間違いだと大勢が考えている。

「自然たるものが崩れ去って人工たるものの一部になること、そしてそれにより及ぶ影響のことを思うと、酔いもすっかりさめてしまう」と語るのは、モンタナ州在住のネイチャーライター、リック・バスだ。[7] 積極的な介入主義のアプローチを採用すると、ありのままで受け入れなければならないものは身の回りにほとんどなくなる。物理と生物の法則に従う世界はその独立性をしだいに失い、私たちの思いつきでつくり変えられる対象となる。世界はかつてなかったほど私たちの世界となり、私たちはそのような世界の未来とそこでのみずからの未来を形づくる全責任を負う。

どこにも手本がなく、誰のせいにもできず、何が最善かに関するみずからの不完全な決断があるだけ、というのもリック・バスの酔いがさめる理由に違いない。ジェイソン・マークは、テクノロジーによって変わっていくばかりの世界は鏡の間のようになっていき、どこを向いても鏡に映った自分の姿しか見えなくなるのではと心配する。すべてを変えたくなるというこの衝動を、彼は「惑星規模の、種としての自己陶酔」と呼ぶ。そんな欲望に抗える独立した自然という対抗勢力なしには、私たちは狂気の沙汰に陥るリスクを負う。

介入を強めようとする衝動を退けるバスやマークのような人物は、その手で形づくっていく世界にどこまでコントロールと確信を持てるのかの判断を私たちが誤りかねないことも心配する。神のような力を想定しているわりに、全知全能が人類の強みだったことはなく、私たちはこの事実を自覚すべきだ。生物にも、地質にも、ゆっくり展開する地球史にも、その奥深くには気まぐれな力の数々が今も潜んでいる。ダイナミックな生きた惑星に今なお内在するこの野生を忘れろと、私たちはそそのかされているのかもしれない。神のような力に対する私たちの感情は、これまで永らく二面的だった。私たちにとっては、注意して扱うべき力というだけではない。心底崇めるべき力でもある。

先の見えない放浪の旅

1990年代の初頭、とある私立財団がアリゾナの砂漠に「バイオスフィア（生物圏）2」と呼ばれる施設をつくって、完全に機能する生態系をシミュレートするという大胆な実験に乗り出した。その狙いは、少人数の滞在者を2年にわたって養える、完全自己完結の生物学的生命維持システムをつくることであり、バイオスフィア2という名称は地球を入念に摸した生態環境をゼロからつくるという試みを表現したものだった。施設は利用できるなかでも最高のテクノロジーと科学研究をもとに建てられた。非常に小規模な実験だったとはいえ、当時としては人類が地球を人工的につくるという試みに何より迫ったものだったかもしれない。

興味深い教訓がいくつか得られたものの、バイオスフィア2は一般に気恥ずかしい失敗と考えられている。アストロノート（宇宙飛行士）ならぬ未来の「バイオノート」の居住に適した環境をつくれなかったのは、構造や生態環境の設計に重大な欠陥があったから、それに加えて人間が機能不全を起こしたからでもあった。バイオスフィア2の設計者には、みずからのつくり上げた生態環境について、知らないことが多すぎた。そして、完全につくられた環境に身を置いた滞在者の社会的な相互関係について、予想だにしなかったことが多すぎたのだった。

バイオスフィア2は、合成の時代に向けた警世の寓話と見なせるかもしれない。地球の未来に人類の影響が大きく及ぶことは今や避けられないが、地球をどれほど考え抜いて意識的に形づくっていこうとしても、思いどおりにうまくいく保証はない。自然と文化のどちらのシステムにも予測できない側面が存在し続けるので、そんな保証はありえない。生物も社会も私たちの設計にそう長いことおとなしく従ってはいないだろう。

検討されているさまざまなプロジェクトに対して上がる警戒には、当然と言えるものがいくつかある。自給自足で自己複製する機械ないし生物を環境に放って私たちのために働かせるなど、賢明なこととは思えない。私たちの体で変異を起こす見込みのあるゲノムを設計するというのも大それた賭けであり、ゲノムとマイクロバイオームとの関係がいまだにわかっていないと認めるのであればなおさらだ。地球の気候ほど大規模で混沌とした物理システムを管理するという試みも本質的に危険で、自信過剰気味とも言える。取り消すのが難しい生物学的プロセスや生態学的プロセスを、私たちの用心深い目の届かないところでいくつも作動させれば、合成の時代が悪意に満ちた顔を私たちに向ける可能性が生まれることは確実だ。

重要な疑問ということでは自然界の壮大さや驚異に関するものもあり、それについても立ち止まって考える必要がある。この世界の複雑さや美を、ミューアやレオポルドといった数限りない環境思索家が崇めるが、それは進化が先の見えない長い放浪の旅を経たこととの直接的な結果だ。この旅はお膳立てされたものでも計画されたものでもない。たまたまそうなったというだけのこと。そこに至る驚くような出来事の連鎖を導いたのは、主に幸運や偶然である。その過程では激動の一幕も数々あった。その多くは困難をもたらし、大混乱を引き起こした。そうした事態は、ゲノムや生態系や気候をつくり上げるのが善意の技術者であっても、やはり起こりうる。

開かれた熟議へ

生物や地質のこうした現実をふまえると、今の変わり目からどこへ向かうのかを懸命に考える必要がある。人類の影響は並外れており、地球に対する私たちの責任は大きくなってきた。私たちがこれから下していく判断によって、来《きた》る年代の地球とその生態環境のありようが決まっていくことは間違いない。だが、進むべき方向について大きな選択がいくつも待ち構えている。考えられる未来のひとつは、乱された惑星プロセスをごっそり、工学的にこれならうまくいくと考えられる線に沿って全面的につくり変えるような合成の時代だ。また、慎重なイノベーションを促す分野と完新世を基準に修復する分野とを混在させる、もっとつつましい合成の時代もありうるだろう。どちらにもそれぞれメリットがあり、むしろ用心が要るのは方向性をあせって決めたくなる誘惑に対してだ。それを誰が決めようとしているのか、彼らの関心がどこにあるのかを意識していなければならない。

政治史を紐解くと、自分たちの未来が立場のかけ離れたエリートによって決められているという話に民衆がどれほど腹を立てるものかがよくわかる。２０１６年に行われたブレグジットの国民投票やドナルド・トランプの大統領選キャンペーンは、どのような無神経な事実操作や嘆かわしい真実の歪曲で性格づけられるかはさておき、どちらも政治運動としては、あなたと立場のかけ離れた者、具体的にはブリュッセルのＥＵ本部ないしニューヨークの大銀行の人間が、あなたではなく彼らの利害に沿うようあなたの未来を決めている、と訴えて成功を収めた。有権者の過半数が、それを根本的に不当で正す必要があると判断したのだ。

どのような合成の時代になるにしても、懸かっている物事はきわめて多く、同じような懸念が生じうる。エスヴェルトの推奨する科学への取り組み方は次のように説く。すなわち、懸かっている物事が大きい場合、市民はみずからの未来、そして私たちを取り巻く環境の未来に関する判断を他人に委ねるべきではない。利害に関わる者には、何が待ち受けているのかを知る機会を設けるとともに、そのような未来を本当に望むかどうかを意思表示するための意味のある手段を用意すべきである。意思表示の機会が特定の最終製品を買うかどうかという事後選択しかないなら、それは決定済みの物事が多すぎるということだ。私たちの世界に何が起こっているかに関して、情報がほとんど共有されてこなかったということである。

合成の時代の幕明けにおいては、何ができるかだけで自然の未来を決めてはならない。できるが自動的にべきを含意したことはかつて一度もなかった。未来のありようを決めるに際しては、できるだけ大勢による熟慮と議論が求められる。その大勢には、関連技術の知識を十分に持った専門家が含まれるだろうし、ほかにもさまざま、たとえば教師と保護者、現役世代に退職世代、そして若者や未来に生まれくる世代の利害を代表する者が含まれるだろう。ジェデダイア・パーディーが警告したように、衝動と不注意による未来には陥らないようにするのが望ましい。私たちは先導するテクノロジーに関して自分たちに何ができるかを学び、そうしたテクノロジーがどのような形を取っていくのかという議論に精力的に加わる必要がある。未来というものは、考え抜かれた意図的な選択の問題にすべきだし、そうなりうる。

大きな選択はいつだって難しく、この惑星全体に関わるやり直しの利かない選択など前例がない。だが、現時点で私たちはもうあまりに多くを変えてきており、一歩下がって傍観を決め込むわけにはいかない。私たちはできるだけ多くの選択肢に目を向け、それらを話題にして議論を戦わせ、できるだけ徹底的に調べたり研究したりする必要がある。この議論を思慮深く、公正に、門戸を開いて行うことが、今の時代にもしかすると最もふさわしい、そして言うまでもなく最も重要な政治課題なのかもしれない。また、もはや回避できない責務でもある。

合成の時代のありようについてそんなややこしい議論が必要になるかと思うと、腰が引けてくるのも無理はないが、どのような課題も絶望の元にしてはいけない。何と言っても、目の前にある選択肢について考え抜いて同種の仲間と議論する能力は、人類ならではの素晴らしい才能だ。これはホモ・サピエンス、すなわち賢いヒトであることに伴う重荷でもあり、喜びでもある。

おわりに 野生とテクノロジー

2015年8月7日、イエローストーン国立公園のエレファント・バック・ループ・トレイルから1キロと離れていないところで、ハイカーの遺体が見つかった。公園局の発表によると、そのハイカーはハイイログマに襲われ、体を一部食べられていた。襲ったクマを探したところ、ほどなく母グマと2頭の子グマが近場をうろついているのが見つかった。母グマは捕らえられ、DNA鑑定によってあのハイカーを殺した個体と確認されたことから、安楽死させられた。2頭の子グマはイエローストーンを追われてオハイオ州の動物園で余生を過ごすこととなった。

この母グマに襲われたハイカー、ランス・クロスビーは、公園内の某病院に勤めていた。公園内での夏の勤務は5シーズン目で、当地とそこに潜む危険に通じていたはずだ。同僚には慕われていたという。襲われたときの彼はどうやら、前の週に痛めた足首の状態を確かめようと、ちょっとしたハイキングをしていたところだったらしい。友人らが公園局の職員に語ったところによると、彼はよく単独でハイキングし、クマ除けのスプレーを決して携行しなかった。どちらもこの公園内では推奨されない行動だと知っていたはずだが、彼はイエローストーンでの経験が豊富で、何に注意すべきかをわきまえていると思っていたのだろう。

クロスビーの妻によると、彼はイエローストーンの景観を愛し、日頃からクマへの深い関心を育んでもいた。自然史に興味を抱いていたようなので、イエローストーンが違うランドスケープへと変わりつつあることを示す兆候をいくつか把握していたに違いない。気候変動によって同公園の季節のリズムが変わってきて、植生が一部シフトし始めているのを知っていただろうし、夏の旅行シーズンが異常に早く始まったときには、夏の終わりから秋にかけて山火事のリスクが高まるのを心配したことだろう。

ほかにも、同公園がさまざまな面で入念につくり込まれたランドスケープであることや、1872年の開設に際して先住民のバノック族やショショーニ族が立ち退かされたことを知っていたはずだ。公園付きの生物学者がイエローストーン湖から非在来種のマスをせっせと排除していることや、冬期になるとバイソンが狩猟や間引きを通じて集中的に管理されており、それがモンタナ州の家畜にブルセラ症をうつすリスクを低減させるためであることも知っていただろう。行列をなすほどの生態学者や野生生物学者が研究できるようにと、発振器付きのかさばる首輪を装着されたオオカミを目撃したことや、往来の多い地域で問題を起こしたクマを捕まえて移送しようと、公園局の職員が巨大な箱型の罠をあちこち引っ張っていく様子を眺めたこともあったに違いない。

こうして直接的な管理作業の数々——マリスの言う「ガーデニング」——がなされているからこそ、イエローストーン国立公園の景観は、訪れる人々が期待して見に来る姿に保たれているのだ。クロスビーがエマ・マリスやガイア・ヴィンスの著作を何かしら読んでいたなら、彼がここ5回の夏を過ごした美しいランドスケープを、ポストナチュラルないしポストワイルドだと思いたくなっていたかもしれない。今日の公園はかなり手を加えられた状態にあり、1万年前と比べて、あるいはわずか150年前と比べても自然さに欠けていることは、彼ならわかっていただろう。

だとしても、あの母グマが至近距離まで近づいてきたとき、クロスビーは恐怖の数秒のうちに、イエローストーンはポストワイルドとは——そのときも、それまでも——ほど遠かったことを悟ったのではないだろうか。かの古代のカルデラとその生態環境に今日の姿形を与えたプロセスの数々は、相変わらず存在して活動している。冬になれば吹雪が辺り一面をすっかりならすし、夏になれば山火事が猛威を振るう。植物相には進化圧がかかっているし、光合成も呼吸も絶え間なく続けられている。捕食関係も相変わらず存在しており、公園内の動物相では今なお防御行動が世代から世代へと受け継がれている。クロスビーを襲ったクマも、ハイイログマが北米大陸で生息している5万年のあいだに研ぎ澄まされてきた強い衝動に駆られたのだ。野生生物学者やパークレンジャーのどのような行動や介入をもってしても、こうした衝動は抑えられない。言い換えれば、野生はイエローストーンで居場所を失っておらず、管理の度合いが高まるばかりのシステムにあって、あちこちのすき間に潜んでいる。

野生は、まさに合成的な未来のあらゆる要素に宿るであろう不可解な側面でもある。生態学的な意味でのランドスケープとそこに棲む捕食者にはもちろん、私たちがこれから考案を試みるどの活動やテクノロジーにも内在し続けるだろう。暴走して地球をグレイグーに変えてしまいはしないかとドレクスラーが心配したナノボットにも見られるだろうし、実験室から抜け出したり病原体になったりしないような対策が要るとヴェンターが認識している人工生物にも存在するだろう。生態系管理者の生態学的ルーレットゲームでは、その数が増えればと楽観的に場所を移された種の血に流れ続け、善意の、だが誘導に誤りのあった太陽放射管理の試みでは、思いもよらず位置を８００キロ東に、時期を1カ月あとに移して荒れ狂うモンスーンとして突然現れ、実験室では、合成されるどのヒトゲノムにも出没する。野生はどのようなテクノロジーや行動にも影響力のある側面としてわずかでも含まれ、私たちの計画や欲望にはこれからも薄情なまでに無関心だろう。

野生は、私たちによって考え出されるテクノロジーの特徴として存在し続けるだけではない。考え出す側の特徴としても存在し続けるだろう。環境の変化に応じて新たな挙動パターンを絶えず生み出す自然発生的、社会的、生物学的存在として、個人も社会も永遠に野生の奴隷であり続けるに違いない。行動の読めない気まぐれな群集が、一夜にしてひとりのカリスマのもとに集結することもあるだろうし、さまざまな横顔を持つ文化的挙動が、過激な政治運動、新たなテクノロジーの急速な普及、原理主義の台頭といった形で思わぬ展開を見せることもありうるし、年配の女性が昔からの習慣で最寄りの店まで散歩している途中で、ふいに右ではなく左に曲がることもあっておかしくない。誰の心の内にもある自然発生的な面が、めざましい個人的成功や恐ろしいまでの政治的および経済的失敗を、予想だにしない形で生み続けるだろう。

というわけで、野生は永遠に功罪相半ばだ。野生は一方で次のように請け合う。すなわち、私たちの理解を超えた世界の美しさ、自然発生的な面、そして予測がつかないからこその良さは、私たちがつくったものにも必ずや存在するだろう。また、私たちがどのような変成新世を形づくることを選んでも、淡々と進化を続ける種と生態環境に、捕食者と獲物のあいだで繰り返される勝ち負けの巡り合わせに、思いがけない大雨や輝く虹に、そして故郷の地球をこれまでずっと形成してきた止むことなき物理的および熱力学的な力に、謎と驚異が必ずや見られるだろう、と。野生の動物や野生のランドスケープが自立しており、私たちの目指すところに無関心であることは、プロジェクトや夢のバランスを見失わないようにするうえで、これからも重要であり続けるはずだ。

他方、野生には別の面もあり、こちらを忘れては愚かと言える。野生は気まぐれで、不確実で、予想を繰り返し上回る力を持っており、地球のつくり変えをこれからも一貫してリスクの高い営みにしていくだろう。惑星の仕組みに深入りしすぎれば、みずからの行動の成り行きを残らず予想することはできなくなるに違いない。テクノロジーの至高の美の誘惑に任せることには、重大なリスクがあるのだ。

　地質年代の命名に向けた歯車はすでに回っており、近いうちに地質学者が私たちの年代を「人類の時代」に変えることにする可能性がある。実際に変わったら、それを機に深く息を吸い、身の回りにあるものをひととおり眺めて、よく考えてみるのがいいかもしれない。名称の変更は、私たちが何者でこれから何になりうるかについて、大事なことを告げるだろう。ただし、この熟慮の時には、先へ進む前にできるだけ長いことためらっていたほうが良さそうだ。そうして立ち止まっていれば、腑に落ちるときが来るだろう。どれほど善意で動いても、自然は、そしてそこに内包されている急速に変わりゆく数限りない生命は、体を横たえてなすがままにされてはいないであろうことを。たとえ地球科学の修道士や哲学者が次の年代に私たちの名を冠したあとであっても。

謝辞

私の妻、両親、きょうだいは、ありのままの私と私のやることを応援してくれる、疲れを知らぬチアリーダーだ。私は心の底から、彼らが長年にわたって私に与えてくれたすべてに感謝する。

友人、同僚、知り合いが大勢、執筆という航海の要所要所で、この原稿の沈没を防ぐ役割を果たしてくれた。特に、フェルン・ウィックソン、スヴェイン・アンダース・ライ、ジェフ・ギルバート、ジェイク・ハンソン、パトリック・ケリー、アルモンド・デュウェル、ニール・アンダーソン、ジェニファー・ベック、ジャック・ロウワン、ベス・クレヴェンジャー、テッド・カットン、ブラッドリー・レイトンには、情報と励ましを共にいただいたことを感謝する。

最後に、私の代理人であるケヴィン・オコーナーからは、文筆業の世界を進む針路を定めるうえで、私には望むべくもないほどのご支援をいただいた。刺激的で、仕事熱心で、知識豊かで、一緒にいて楽しく、ひたむきな彼がいたからこそ、本書は今あなたの手元にある。およそ著述家に望みうるきわめて有能な水先案内人のひとりであることを、彼は文句なしに証明してみせた。

◆注

◉はじめに 「合成の時代」が始まる

1. 魚鉤は木や金属でできた柄の一端に鋼鉄の鉤を取りつけたもので、船腹越しに大物を引き揚げるのに用いる。
2. 接頭辞 *anthropo-* の語源は「人間」を意味するギリシャ語の単語。
3. Paul Crutzen with Christian Schwägerl, “Living in the Anthropocene: Toward a New Global Ethos,” *YaleEnvironment360*, January 14, 2011, http://e360.yale.edu/features/living_in_the_anthropocene_toward_a_new_global_ethos.
4. 本書では全体を通して、「合成の時代（Synthetic Age)」と「変成新世（Plastocene)」を同じ意味の言い換えとして用いる。どちらも、かつて自然の営みの産物だった世界が、いよいよ私たちが意図的につくり上げるものになりつつあることを示唆している。
5. 後述の「参考文献」には、取り上げているアイデアの情報源を一部挙げてある。注や文献の引用は最小限に留めた。

◉第１章 新次元の物質をつくる

1. Feynman, “There’s Plenty of Room at the Bottom.”
2. 原子のスケールでは今なお「見る」ことはできない。私たちが見るのに使っている光の波長は原子の直径よりはるかに大きいからだ。その点、走査トンネル顕微鏡なら、原子の表面や並びがどう「見える」かを電気的に表す電流を用いて、そのスケールでの様子をビジュアルで表現できる。
3. 引用元：Joachim Schummer and Davis Baird, eds., *Nanotechnology Challenges: Implications for Philosophy, Ethics and Society* (Singapore: World Scientific, 2006), 421。
4. バナナボート社は、無実の果実への不当な仕打ちに対して立ち上がるかもしれない活動家に向けて、同社の製品にバナナは一切含まれていないと請け合っている。
5. Mark R. Miller, Jennifer B. Raftis, Jeremy P. Langrish, Steven G. McLean, Pawitrabhorn Samutrtai, et al., “Inhaled Nanoparticles Accumulate at Sites of Vascular Disease,” *ACS Nano* 11, no. 5 (2017). 4542–4552.
6. U.S. Environmental Protection Agency, “Chemical Substances When Manufactured or Processed as Nanoscale Materials: TSCA Reporting and Recordkeeping Requirements,” 2017, https://www.regulations.gov/document?D=EPA-HQ-OPPT-2010-0572-0137.

◉第２章 原子の位置を動かす

1. 分子製造による初の成果を示すこの驚きの画像はインターネットで広く紹介されており、一見の価値がある。〔たとえば『WIRED』の「原子操作の 20 年：画像ギャラリー」http://u0u1.nct/vbpT で見ることができる〕

2. Sündüs Erbaş-Çakmak, David A. Leigh, Charlie T. McTernan, and Alina L. Nussbaumer, "Artificial Molecular Machines," *Chemical Reviews* 115, no 18 (2015): 10157.
3. Drexler, *Engines of Creation*. K. エリック・ドレクスラー『創造する機械：ナノテクノロジー』（相澤益男訳、パーソナルメディア）
4. ドレクスラーとスマイリーとの公開書簡：*Chemical and Engineering News* 81, no. 48: 37–42, http://pubs.acs.org/cen/coverstory/8148/8148counterpoint.html。

◉第３章　DNA オンデマンド
1. 精度をさらに上げた最終的なヒトゲノムマップが 2003 年に公開され、それをもってヒトゲノム計画は正式に終了を宣言した。

◉第４章　人工生物
1. 引　用　元：Andrew Pollock in "His Corporate Strategy: The Scientific Method," *New York Times*, September 4, 2010, http://www.nytimes.com/2010/09/05/business/05venter.html。
2. Bill Joy, "Why the Future Does Not Need Us," *Wired* 8, no. 4 (April 2000), https://www.wired.com/2000/04/joy-2/.
3. 技術の進歩に対する確信が揺らいだうえ、2014 に原油価格が下落したことから、エクソンは合成バイオ燃料への投資を縮小したが、2017 年の画期的な成果を受けて、熱意を取り戻した。詳細は以下を参照：Imad Ajjawi, John Verruto, Moena Aqui, Leah B. Soriaga, et al., "Lipid Production in *Nannochloropsis gaditana* Is Doubled by Decreasing Expression of a Single Transcriptional Regulator," *Nature Biotechnology* 35, no. 7 (2017): 645–652。
4. J. クレイグ・ヴェンター研究所のプレスリリース："First Self-Replicating, Synthetic Bacterial Cell Constructed by J. Craig Venter Institute Researchers," May 20, 2010, https://www.jcvi.org/first-self-replicating-synthetic-bacterial-cell-constructed-j%C2%A0craig-venter-institute-researchers。
5. McKibben, *The End of Nature*, 213–214. ビル・マッキベン『自然の終焉：環境破壊の現在と近未来』（鈴木主税訳、河出書房新社）
6. Paul Crutzen, "The Geology of Mankind," *Nature* 415 (January 2002): 23.

◉第５章　ポストナチュラルな生態系
1. Leopold, "Marshland Elegy," in *A Sand County Almanac*. アルド・レオポルド『野生のうたが聞こえる』（新島義昭訳、講談社学術文庫）
2. Leopold, "The Outlook," in *A Sand County Almanac*.
3. アスペン環境フォーラム（2012）でのやり取りの再録：http://grist.org/living/save-the-median-strip-or-how-to-annoy-e-o-wilson.
4. Emma Marris, "Handle with Care," *Orion Magazine*, May/June 2015,

https://orionmagazine.org/article/handle-with-care.
5. Marris, *Rambunctious Garden*. エマ・マリス『「自然」という幻想：多自然ガーデニングによる新しい自然保護』(岸由二・小宮繁訳、草思社)
6. Ellis, "The Planet of No Return"; and Erle C. Ellis, "Too Big for Nature," in *After Preservation: Saving American Nature in the Age of Humans*, ed. Ben Minteer and Stephen Pyne (Chicago: University of Chicago Press, 2015), 26.
7. Federal Ministry for the Environment, Nature Conservation, and Nuclear Safety, "National Strategy on Biological Diversity," 2007, http://www.bmub.bund.de/fileadmin/bmu-import/files/english/pdf/application/pdf/broschuere_biolog_vielfalt_strategie_en_bf.pdf.
8. Stephen Jay Gould, *Time's Arrow, Time's Cycle: Myth and Metaphor in the Discovery of Geological Time* (Cambridge, MA: Harvard University Press, 1987), 3. スティーヴン・J・グールド『時間の矢・時間の環：地質学的時間をめぐる神話と隠喩』(渡辺政隆訳、工作舎)

◉第6章　種の移転と復元
1. この技法の救出的な性格をもとに、聖書にでも出てきそうな「統制ディアスポラ」という呼称を提唱している者もいる。〔「ディアスポラ」は「移住」の意だが、「バビロン捕囚後のユダヤ人の離散」の意味で用いられることもある〕
2. Stephen G. Willis, Jane K. Hill, Chris D. Thomas, David B. Roy, Richard Fox, David S. Blakeley, and Brian Huntley, "Assisted Colonization in a Changing Climate: A Test-Study Using two U.K. Butterflies," *Conservation Letters* 2, no. 1 (2009): 46–52. DOI: 10.1111/j.1755-263X.2008.00043.x.
3. Robert Elliott, *Faking Nature: The Ethics of Environmental Restoration* (New York: Routledge, 1997).
4. フレッド・ピアスに言わせれば、「過ち」を正そうとするこうした試みの多くはお金の無駄であり、生態学的に不要でもある。
5. 2017年、CRISPRテクノロジーによって初めてヒトの胚が編集された。Hong Ma, Nuria Marti-Gutierrez, Sang-Wook Park, Jun Wu, et al., "Correction of a Pathogenic Gene Mutation in Human Embryos," *Nature* 548 (August 2, 2017), doi:10.1038/nature23305.
6. Emma Marris, "Humility in the Anthropocene," in *After Preservation: Saving American Nature in the Age of Humans*, ed. Ben A. Minteer and Stephen J. Pyne (Chicago: University of Chicago Press, 2015), 48.
7. 今日の消えゆく種のDNAが将来入り用になることを予想して、いくつかの組織が既存種のゲノムを収集しており、いつかこうした試料が実際に役立つかもしれないと期待している。そうした組織には、英国ノッティンガム大学のフローズン・アーク・プロジェクトや米国サンディエゴ動物園保全研究所の冷凍動物園などがある。
8. 絶滅種を死から呼び戻すという発想に背筋がぞわぞわさせられるという向き

は、同じようなテクノロジーを使って絶滅寸前の種、たとえばジャワサイの異種間クローンをつくれるという可能性について考えてみてほしい。生き残っているジャワサイから抽出したDNAは、近親だが絶滅には瀕していないスマトラサイの卵に挿入できる。スマトラサイの母親から生まれたクローンのジャワサイがインドネシアのジャングルを歩き回っているほうが、ジャワサイがいないよりまし、と世間は思うかもしれない。

9. Stewart Brand, "The Dawn of De-extinction: Are You Ready?," TED Talk, https://www.ted.com/talks/stewart_brand_the_dawn_of_de_extinction_are_you_ready/transcript?language=ja.（スチュアート・ブランド「絶滅種再生の夜明けとそれが意味すること」）
10. 引用元："Mammoth Genome Sequence Completed," BBC News, April 25, 2015, http://www.bbc.com/news/science-environment-32432693。
11. Scott R. Sanders, "Kinship and Kindness," *Orion Magazine*, May/June 2016, 34.
12. Kevin Esvelt, George Church, and Jeantine Lunshof, "'Gene Drives' and CRISPR Could Revolutionize Ecosystem Management," *Scientific American*, July 17, 2014, https://blogs.scientificamerican.com/guest-blog/gene-drives-and-crispr-could-revolutionize-ecosystem-management.
13. Sanders, "Kinship and Kindness."

◉第７章　都市の持つ進化の力

1. International Agency for Research on Cancer, press release no. 180, December 5, 2007, https://www.iarc.fr/en/media-centre/pr/2007/pr180.html.

◉第８章　太陽を退かせる方法

1. Alvin Weinberg, *Reflections on Big Science* (Cambridge, MA: MIT Press, 1967).

2. アンチロックブレーキのような技術的解決に絡む問題の１つが、人々に偽りの安心感を与えうることだ。人はたいていこの安心感の変化への反応としてスピードを上げ、得られていたはずの恩恵を一部帳消しにしてしまう。
3. この分野が「地球工学」ないし「ジオエンジニアリング」で、「気候修復」と呼ばれることもあるが、近ごろは「気候工学」という名称が好まれている。

4. Paul J. Crutzen, "Albedo Enhancement by Stratospheric Aerosol Injection: A Contribution to Resolve a Policy Dilemma?," *Climatic Change* 77 (2006): 211–219. DOI: 10.1007/s10584-006-9101-y.

5. 海はすでに大幅な温暖化に対する一時しのぎの場となっており、人類が排出してきた二酸化炭素の３～４割と、残留温室効果ガスにこもる熱の最大９割を、自然と吸収してきた。
6.『自然の終焉』の最後に、果敢なる反抗として、マッキベンは「がらがらと音を立ててやってくる終末」という200ページ強をかけて述べてきたばか

りの立場の受け入れを拒むと宣言している。彼はその身を気候変動との闘いに投じることにしており、元には戻せないこの喪失は防ぎうるという「望めぬ望みを抱いて」いる。
7. Paul J. Crutzen, "Geology of Mankind" *Nature* 415 (January 3, 2002): 23.

◉第9章 大気のリミックス

1. 何らかのエアロゾルを空にまくという構想が憎悪を持って受け取られるに違いない理由にはもう1つ、ケムトレイル陰謀説がある。この説の信奉者は、極悪非道な政府権力が、何も知らない地上の市民を支配しようと、商用機からすでに化学物質を散布していると心配する。気候変動への対応として同様のことを行う提案は、疑念をかき立てる。
2. Royal Society, "Geoengineering the Climate: Science, Governance, and Uncertainty," 2009, https://royalsociety.org/~/media/Royal_Society_Content/policy/publications/2009/8693.pdf.
3. 哺乳類のお尻とつながりのある地球規模の気候への影響としては、更新世末期と完新世における草食動物の乱獲により、大気中に排出されていたメタンが大幅に減った可能性が考えられている。これによる草食動物の絶滅とそれに伴うメタン排出量の減少については、地球の一時的な寒冷化によって引き起こされた可能性も考えられるが、いずれにせよ、この減少傾向は逆転しており、その原因は、肉に飢えた人類の食欲を満たすべく、ガスをきわめて溜めやすい家畜が大幅に増やされたことだ。
4. Naomi Klein, "Geoengineering: Testing the Waters" *New York Times*, October 27, 2012, http://www.nytimes.com/2012/10/28/opinion/sunday/geoengineering-testing-the-waters.html.
5. Sabine Fuss, Josep G. Canadell, Glen P. Peters, Massimo Tavoni, et al., "Betting on Negative Emissions," *Nature Climate Change* 4, no. 10 (2014): 850–853.
6. Massimo Tavoni and Robert Socolow, "Modeling Meets Science and Technology: An Introduction to a Special Issue on Negative Emissions," *Climatic Change* 118 (2013): 13.
7. デイヴィッド・キースのカーボンエンジニアリング社は、この賞の数少ない受賞候補に数えられている。
8. ヴェトナム戦争の終結後間もなく、ENMOD（環境改変技術の軍事的使用その他の敵対的使用の禁止に関する条約）と呼ばれる国際条約により、軍事戦略としての気候改変の使用が禁止された。一部評論家は、ENMODの背景にある趣旨を、気候工学で提案されている活動にも適用すべきだと主張してきている。
9. Jason Mark, "Hacking the Sky," *Earth Island Journal* (Autumn 2013), http://www.earthisland.org/journal/index.php/eij/article/hacking_the_sky.
10. このフレーズが最初に使用された論文：Dipesh Chakrabarty, "The Climate of History: Four Theses," *Critical Inquiry* 35, no. 2 (2009): 197–222。

◉第 10 章　人工人類

1. George Whitesides, "The Once and Future Nanomachine," *Scientific American*, September 16, 2001, 75. G. M. ホワイトサイズ「生物に求める実現のヒント」～『日経サイエンス』2001 年 12 月号所収
2. 主催者らは計画名をのちに「ヒトゲノム計画―ライト（書く）(Human Genome Project—Write)」に変更した。彼らが「ヒトゲノム計画―リード（読む）(Human Genome Project—Read)」と呼んだ、クリントン政権中に完了した計画との対比を明確にするためである。
3. 引用元：Joel Achenbach, "After Secret Harvard Meeting, Scientists Announce Plans for Synthetic Human Genomes," *Washington Post*, June 2, 2016。
4. Collins。引用元は同上。
5. Charles Lieber。引用元：Simon Makin, "Injectable Brain Implants Talk to Single Neurons," *Scientific American* (March 1 2016), https://www.scientificamerican.com/article/injectable-brain-implants-talk-to-single-neurons。
6. 2016 年 5 月 10 日付け公開書簡：Drew Endy and Laurie Zoloth, "Should We Synthesize a Human Genome?," https://dspace.mit.edu/bitstream/handle/1721.1/102449/ShouldWeGenome.pdf?sequence=1。
7. J. Craig Venter。引用元：Maggie Fox, "Synthetic Stripped-Down Bacterium Could Shed Light on Life's Mysteries," NBC News, March 24, 2016, http://www.nbcnews.com/health/health-news/little-cell-stripped-down-life-form-n545081。
8. Kurzweil, *The Singularity Is Near*, 296. レイ・カーツワイル『ポスト・ヒューマン誕生：コンピュータが人類の知性を超えるとき』（井上健監訳、小野木明恵・野中香方子・福田実訳、NHK 出版）
9. テンプルトン受賞者のホームズ・ロルストン 3 世は、宇宙史における最も重要な成り行きとして「3 つのビッグバン」があると語っている。その 3 つとは、宇宙そのものの始まり、生命の始まり、精神の始まりだ。シンギュラリティが起こるようなことがあれば、それをカーツワイルが 4 つめに選ぶかもしれない。
10. デカルトと結びつけられている見方は、彼のラテン語名 Cartesius（カルテシウス）にちなんで、英語では「*Cartesian*（カルテジアン）」と形容される。
11. 「シミュレーション神学」の名で知られている分野が興り、カーツワイルのような考え方とキリスト教神学との結びつきを探っている。
12. 引用元：Michael Specter, "Rewriting the Code of Life," *New Yorker*, January 2, 2017, 36, http://www.newyorker.com/magazine/2017/01/02/rewriting-the-code-of-life。

◉第 11 章　未来への選択

1. Crutzen and Stoermer, "The Anthropocene," 17.
2. Antonio Stoppani, "Corso di Geologica," in *Making the Geologic Now:*

Responses to Material Conditions of Contemporary Life, ed. Elisabeth Ellsworth and Jamie Kruse, trans. Valeria Federighi and Étienne Turpin (New York: Punctum Books, 2013), 34–41.
3. Thomas C. Chamberlin, *Geology of Wisconsin: Survey of 1873–1879* (Madison, WI: Commissioners of Public Print, 1883).
4. 人類は気候工学の未来に対して落ち着かない感情を抱くかもしれないと述べた、あのアンディ・レヴキンである。
5. David Keith, *The Case for Climate Engineering* (Cambridge, MA: MIT Press, 2013), 173.
6. Crutzen and Schwägerl, "Living in the Anthropocene."
7. Rick Bass。引用元:the back book jacket of *The End of Night*。ポール・ボガード『本当の夜をさがして:都市の明かりは私たちから何を奪ったのか』(上原直子訳、白揚社)

◆参考文献

Ackerman, Diane. *The Human Age: The World Shaped by Us*. New York: W. W. Norton, 2014.
Biello, David. *The Unnatural World: The Race to Remake Civilization in Earth's Newest Age*. New York: Scribner, 2016.
Bogard, Paul. *The End of Night: Searching for Natural Darkness in an Age of Artificial Light*. New York: Little, Brown and Company, 2013. ポール・ボガード『本当の夜をさがして:都市の明かりは私たちから何を奪ったのか』(上原直子訳、白揚社)
Crutzen, Paul, and Eugene Stoermer. "The Anthropocene." *Global Change Newsletter* 41 (May 2000): 17–18.
Drexler, K. E. *Engines of Creation: The Coming Ear of Nanotechnology*. New York: Anchor Books, 1986. K. エリック・ドレクスラー『創造する機械:ナノテクノロジー』(相澤益男訳、パーソナルメディア)
Drexler, K. E. "Molecular Engineering: An Approach to the Development of General Capabilities for Molecular Manipulation." *Proceedings of the National Academy of Sciences of the United States of America* 78 (9) (1981): 5275–5278.
Ellis, Erle. 2012. "The Planet of No Return: Human Resilience on an Artificial Earth." *The Breakthrough Journal* (Winter). https://thebreakthrough.org/index.php/journal/past-issues/issue-2/the-planet-of-no-return.
Feynman, Richard. "There's Plenty of Room at the Bottom." Lecture given at California Institute of Technology, December 29, 1959. *Caltech Engineering and Science* 23(5) (February 1960): 34. http://calteches.library.caltech.edu/1976/1/1960Bottom.pdf.
Gardiner, Stephen. *A Perfect Moral Storm: The Ethical Tragedy of Climate Change*. New York: Oxford University Press, 2011.

Kurzweil, Ray. *The Singularity Is Near: When Humans Transcend Biology*. New York: Penguin, 2006. レイ・カーツワイル『ポスト・ヒューマン誕生：コンピュータが人類の知性を超えるとき』(井上健監訳、小野木明恵・野中香方子・福田実訳、NHK出版)

Lee, Keekok. *The Natural and the Artefactual: The Implications of Deep Science and Deep Technology for Environmental Philosophy*. Lanham, MD: Lexington Books, 1999.

Leopold, Aldo. *A Sand County Almanac: And Sketches Here and There*. New York: Oxford University Press, 1949. アルド・レオポルド『野生のうたが聞こえる』(新島義昭訳、講談社学術文庫)

Mark, Jason. *Satellites in the High Country: Searching for the Wild in the Age of Man*. Washington, DC: Island Press, 2015.

Marris, Emma. *Rambunctious Garden: Saving Nature in a Post-Wild World*. New York: Bloomsbury, 2011. エマ・マリス『「自然」という幻想：多自然ガーデニングによる新しい自然保護』(岸由二・小宮繁訳、草思社)

Marris, Emma, Peter Kareiva, Joseph Mascaro, and Erle Ellis. "Hope in the Age of Man." *New York Times*, December 7, 2011. http://www.nytimes.com/2011/12/08/opinion/the-age-of-man-is-not-a-disaster.html.

Marsh, George Perkins. *Man and Nature: Or, Physical Geography as Modified by Human Action*. Cambridge, MA: Harvard University Press, 1965 [1864].

McKibben, Bill. *The End of Nature*. New York: Random House, 1989. ビル・マッキベン『自然の終焉：環境破壊の現在と近未来』(鈴木主税訳、河出書房新社)

McKibben, Bill. *Enough: Staying Human in an Engineered Age*. New York: Henry Holt and Company, 2003. ビル・マッキベン『人間の終焉：テクノロジーは、もう十分だ！』(山下篤子訳、河出書房新社)

Mill, John Stuart. "On Nature." In *Nature, the Utility of Religion, and Theism*. London: Longmans, Green, Reader, and Dyer, 1874.

Morton, Oliver. *The Planet Remade: How Geoengineering Could Change the World*. London: Granta, 2015.

Pearce, Fred. *The New Wild: Why Invasive Species will be Nature's Salvation*. Boston: Beacon Press, 2015. フレッド・ピアス『外来種は本当に悪者か？：新しい野生　THE NEW WILD』(藤井留美訳、草思社文庫)

Purdy, Jedediah. *After Nature: A Politics for the Anthropocene*. Cambridge, MA: Harvard University Press, 2015.

Purdy, Jedediah. "The New Nature." *Boston Review*, January 11, 2016. http://bostonreview.net/forum/jedediah-purdy-new-nature.

Vince, Gaia. *Adventures in the Anthropocene: A Journey to the Heart of the Planet we Made*. Minneapolis, MN: Milkweed, 2014. ガイア・ヴィンス『人類が変えた地球：新時代アントロポセンに生きる』(小坂恵理訳、化学同人)

解説

遠い未来の地質学者が、私たちの生きる時代を調査したら、こんな結論に至るだろう——人類の影響による惑星規模の変化があった数々の痕跡が見つかる、と。ノーベル化学賞を受賞したパウル・クルッツェンらは、こうした大転換に、「人新世《アントロポセン》」という地質年代を名づけることを提唱した。

本書は、人類の及ぼす惑星規模の変化を、テクノロジーの面から探究する。今や人類は、自然の仕組みの最も奥深くまで手を延ばし、それをつくり変えようとしている。原子・遺伝子・生命・種《しゅ》や生態系・人類自身・気候に至るまで、思い通りに設計し合成（人工化）しようというのだ。こうしたテクノロジーによる変化は、気候変動や環境破壊などとはまた違った様相を示している。気候変動などは人類が意図したわけではなく、産業・経済活動による意図せざる結果だった。しかし、合成テクノロジーは違う。はじめから明快な狙いをもって、万物をつくり変えるのだ。人類が神の領域へと参入する、「合成の時代《シンセティック・エイジ》」「変成新世《プラストセン》」の到来である。

原子・分子を操作して、新次元の物質をつくる技術は、ナノテクノロジーとして知られている。多くの分野で開発が進んでいるが、特に興味深いのはＩＴ、環境、医療といった先端領域での活用だ。たとえば、原子をデバイスとした超高速ナノコンピューター（ナノエレクトロニクス）、クルマや壁などに塗装できる微細な太陽電池、金ナノ触媒を用いた人工光合成、がん細胞まで抗がん剤を運び放出するナノ投薬などなど……。

ナノ物質は身近な日用品（衣料品から化粧品、健康食品まで）にも広く利用されている。にもかかわらず、人体や環境に及ぼす影響については、まだ不透明なところも多い。ＥＵ法では域内で販売されるナノ材料入りの化粧品や食品などには、ラベルへの記載が義務づけられている。一方、アメリカや日本などには表示義務がない。

その意味で、ナノテクの限りない可能性と危うさを示すのが、ウェット・ナノテクノロジーやナノバイオ工学だ。たとえば、遺伝子改変ウィルスが作成し細菌が育てたナノワイヤーを利用するまったく新しい高出力の生物電池がつくられている。こうした動向は、生命のように自己複製し、エネルギーの自己調達ができるナノボットへと進むだろう。人間が入り込めない汚染された場所でも、ナノボットが浄化してくれるようになるかもしれない。一方で、自己増殖するナノボットが制御できずに暴走しはじめたら、一挙に環境が破壊される。また技術的にも、さまざまな課題（「べたつく指」「太い指」問題など）を抱えている。

生体におけるナノスケールの操作は、ゲノム編集、代謝工学、合成生物学などに活かされている。すでに有用な遺伝子パーツが「バイオブリック（生体れんが）」として登録・公開され、研究者は自由に利用できる状況だ。こうしたバイオブリックを生きた細胞に組み入れ、独自の生物学的デバイスを設計する合成生物学の大会（iGEM）まで開かれている。この分野の先駆者であるクレイグ・ヴェンターのチームは、細菌の完全合成ゲノム（必要不可欠なミニマルな遺伝子数に加工した）を細菌宿主に挿入・起動させて、史上初の「デザイナー生物」を創造した。目指すのは、こうした合成細胞が生物工場の作業場となることであり、巨大な商機をもたらす。現に製薬、農業、環境・エネルギーなどの大手企業、DARPA《ダーパ》（米国国防省の研究部門）などが、ヴェンターの企業と提携し、開発を進めている。

合成生物学も大いなる可能性とリスクを併せ持つが、とりわけ私たちを当惑させるのが、「生命・自然」―「人工・技術」という境界を取っ払うことだ。自然選択による進化という鎖を断ち切った生命体が、コンピューターで設計され、化学合成によって誕生する。人類は新たな自然の創造主となることをどこまで許されるのか？　その問いは、「自然環境・生態系の人工化（ポストナチュラル）」によってさらに深まっていく。

気候変動のせいで、さまざまな動物が従来の生息域を離れ、より適応できる場所へと脱出している。サンゴ礁や植物なども、より低温域へと動いていることが分かってきた。それでも、素早く移動できない、あるいは移動しにくい種《しゅ》も多い。放っておけば生き残れなくなるこうした生物を救済するために、「管理された移転」が行われつつある。人間の手によって、特定の生き物をより適応しやすい環境へと移転させる方法だ。また、気候変動に耐えられる有利な遺伝子をもつ個体を選び、元の生態系で増やしていく「進化補助」も実践されている。こうした人間による自然への介入は、「遺伝子ドライブ」によってさらに加速する。たとえば、暑さに強い遺伝子を個体の生殖細胞に挿入するなどして、生態系のなかに放ち、こうした遺伝子を野生の環境で広げていく（あるいはマラリア感染源となるメスの蚊が繁殖できない不妊遺伝子を広げ、蚊の集団を壊滅させる）。

ＳＦみたいだが、ゲノム編集が進めば絶滅した種の復元も夢ではなくなる。じっさい、絶滅した動物（ブカルドというヤギの一種）の復元実験がすでに行われている。マンモス再生の研究も進んでおり、さらにはネアンデルタール人の復活まで話題になっているほどだ。もちろん、こうした自然への極端な介入には倫理面での抵抗があり、大きな論争を巻き起こしてもいる。しかし、「管理された移転」や「進化補助」といったより穏やかな方法はどうなのか？　そもそも「手つかずの自然」など、もはや地球のどこにもないのでは？　あるいは、こうした思いじたいが、先住民たちによる自然の変容を忘却した白人植民者による幻想ではないのか？

こうした問いかけは、もはや手つかずの自然を「守る」のではなく、自然を「管理し、再構成する」というエコモダンな環境思想を育んでいく。また、管理された自然のなかで「再野生化」を図るヨーロッパの流儀や、外来種などによって絶えず変化する「新奇な生態系」という概念を通して、自然の意義を見直す「ニューワイルド」も注目される。

地球の人工化という面では、「都市化」も忘れてはいけない。都市の放つ人工的な光は生物が宿している概日リズムを乱してしまう。哺乳類の多くは夜行性であり、暗闇の喪失は大きな影響を及ぼすだろう。都市の暮らしに適応して、行動パターンを変えた種も多い。こうした人工環境への生物の適応によって、自然選択すら〝不自然〟になっていく。広大な海でも異変が進んでいる。たとえば、海洋の酸性化は、周波数の低い音を弱まりにくくする。つまり、地上で化石燃料を燃やした結果、海中で雑音の届く距離が延び、海がやかましくなってきているのだ。イルカやクジラなどの音響によるコミュニケーションも妨げられるだろう。

地球環境を変えた温暖化を抑える対策は、各国の足並みも揃わず、なかなか前へ進まない。また、たとえ二酸化炭素などの排出削減に今から取り組めたとしても、「もう間に合わない」という識者の声も強い。そこで期待されるのが、気候を改変する「気候工学（ジオエンジニアリング）」だ。たとえば、降り注ぐ太陽光を反射し、温暖化をやわらげる（太陽放射管理：SRM）。二酸化炭素を大気中から捕集する（二酸化炭素除去：CDR）。ほかにも、さまざまな方法が研究されているが、環境への未知の影響、社会的・国際的な合意の難しさなどの問題を抱えている。とはいえ、こうした研究は国家や有力な企業家（ビル・ゲイツやリチャード・ブランソンなど）の支援により、本格化している（ちなみに中国では「天河計画」と呼ばれる史上最大の人工降雨プロジェクトを検討中）。とりわけ期待されるのが、二酸化炭素除去とバイオ燃料の組み合わせ

（ＢＥＣＣＳ《ベックス》：バイオ燃料で排出されたCO_2を回収・貯留する）であり、気候変動に関する政府間パネル（ＩＰＣＣ）も、国際社会が取り組むべき切り札としている（わが国では環境省が工場などから排出される「二酸化炭素の回収・有効利用・貯留［ＣＣＵＳ］」事業を推進し、２０２２年をめどに関連技術の確立を目指す）。

本書が注目する改変技術は、急速に進展しているにもかかわらず、その実態は一般市民には余り知られていない。なかには私たち自身が「人工人類」となるようなテクノロジーさえ含まれるのに、である。懸かっているものは、生命・物質・地球の未来であり、とてつもなく大きい。どこまで研究開発を進め、どこでとどめるべきなのか？　とどめる一線があるとすれば、その指針は何か？　市場の成り行きや一部エリートに委ねない判断・選択が求められるだろう。そのためには、オープンな情報公開や民主的な熟議が欠かせない。本書が最も強調するのも、まさにこの開かれた姿勢であり、その土台となる見取り図を分かち合うことにほかならない。

「……変成新世の幕開けにおける各種テクノロジーが、前例のない倫理的精査を求められるほど強力であることを示している。自然とテクノロジーとの関係について、真剣に考えることが大事になる時期があるとすれば、それは今だ」（本書より）

本書出版プロデューサー　真柴隆弘

著者
クリストファー・プレストン Christopher J. Preston
モンタナ大学の哲学教授、同大マンスフィールドセンターの倫理・公共問題プログラムの主任研究員。環境哲学・環境倫理に造詣が深く、編著『気候正義と地球工学 (*Climate Justice and Geoengineering*)』、単著『グラウンディングナレッジ 環境の哲学・認識論・場所 (*Grounding Knowledge*)』(ともに未邦訳) などの著書がある。

訳者
松井 信彦（まつい のぶひこ）
翻訳家。マーク・ミーオドヴニク『人類を変えた素晴らしき10の材料』、マット・サイモン『たいへんな生きもの』、デイヴィッド・ドイッチュ『無限の始まり』(共訳) ほか多数。

合成テクノロジーが世界をつくり変える
生命・物質・地球の未来と人類の選択

2020年7月20日　第1刷発行

著　者　　クリストファー・プレストン
訳　者　　松井 信彦
発行者　　宮野尾 充晴
発　行　　株式会社 インターシフト
〒156-0042　東京都世田谷区羽根木1-19-6
電話 03-3325-8637　FAX 03-3325-8307
www.intershift.jp/
発　売　　合同出版 株式会社
〒101-0051　東京都千代田区神田神保町1-44-2
電話 03-3294-3506　FAX 03-3294-3509
www.godo-shuppan.co.jp/
印刷・製本　モリモト印刷
装丁　織沢 綾

カバー画像：BAIVECTOR©（Shutterstock.com），© iStock.com/Mike_Kiev

Printed in Japan
ISBN 978-4-7726-9569-5　C0040　NDC400　188x130